MÉDITER,
JOUR
APRÈS JOUR

DU MÊME AUTEUR

AUX ÉDITIONS DE L'ICONOCLASTE
- *De l'art du bonheur*, 2010 (nouvelle édition).

AUX ÉDITIONS ODILE JACOB
- *Les États d'âme. Un apprentissage de la sérénité*, 2009.
- *Imparfaits, libres et heureux. Pratiques de l'estime de soi*, 2006.
- *Psychologie de la peur. Craintes, angoisses et phobies*, 2004.
- *Vivre heureux. Psychologie du bonheur*, 2003.
- *La Force des émotions. Amour, colère, joie*, 2001
(avec François Lelord).
- *La Peur des autres. Trac, timidité et phobie sociale*, 2000
(avec Patrick Légeron).
- *L'Estime de soi. S'aimer mieux pour vivre avec les autres*, 1999
(avec François Lelord).
- *Comment gérer les personnalités difficiles*, 1996
(avec François Lelord).

AUX ÉDITIONS DU SEUIL (« POINTS »)
- *Je résiste aux personnalités toxiques (et autres casse-pieds)*, 2011
(avec le dessinateur Muzo ; nouvelle édition
de *Petits Pénibles et gros casse-pieds*, paru en 2007).
- *Je guéris mes complexes et mes déprimes*, 2010
(avec le dessinateur Muzo ; nouvelle édition
de *Petits Complexes et grosses déprimes*, paru en 2004).
- *Je dépasse mes peurs et mes angoisses*, 2010
(avec le dessinateur Muzo ; nouvelle édition
de *Petites Angoisses et grosses phobies*, paru en 2002).

SITE DE L'AUTEUR
www.christopheandre.com
http://psychoactif.blogspot.com

L'Iconoclaste
27 rue Jacob, 75006 Paris
Tél. : 01 42 17 47 80
iconoclaste@editions-iconoclaste.fr
Méditer, jour après jour se prolonge sur www.editions-iconoclaste.fr

Christophe André

MÉDITER,
JOUR
APRÈS JOUR

25 leçons pour vivre en pleine conscience

L'ICONOCLASTE

> « Le miracle,
> c'est de marcher sur la terre. »
> THICH NHAT HANH

Vivre en pleine conscience, c'est régulièrement porter une attention tranquille à l'instant présent. Cette attitude peut modifier notre rapport au monde de manière radicale, apaiser nos souffrances et transcender nos joies. La pleine conscience, c'est aussi le nom d'une forme de méditation dont l'apprentissage est simple et rapide, mais dont la maîtrise demande des années (comme tout ce qui importe dans nos vies).

Pour approcher la pleine conscience, il faut d'abord comprendre en quoi elle consiste et comment elle se pratique : c'est ce que nous proposent les textes de ce livre. Il faut ensuite s'affranchir des mots, pour simplement ressentir et éprouver : les tableaux vont nous y aider. Enfin, il faut pratiquer et expérimenter par soi-même : des conseils et exercices sont suggérés tout au long des pages qui suivent. Comprendre et ressentir. Pratiquer, encore et encore. Il n'y a aucun autre secret pour une vie en pleine conscience.

3.

TRAVERSER LES TEMPÊTES : LE REFUGE DE L'INSTANT PRÉSENT

4.

OUVERTURES ET ÉVEILS : LE PLUS GRAND DES VOYAGES

PRÉLUDE
LA PRÉSENCE,
PAS LE VIDE

« Je médite divinement
Et je souris des êtres
que je n'ai pas créés »

GUILLAUME APOLLINAIRE, ALCOOLS

l y a d'abord cette lumière jaune, intense, d'un soleil d'hiver qui brille au-dehors. Un soleil qui éblouit sans réchauffer. Puis on découvre le vieil homme immobile. Il s'est détourné de sa table de travail et du livre qu'il étudiait: pour réfléchir? Se reposer? Méditer? Notre regard glisse ensuite vers la droite et remarque la porte basse de la cave. Puis il est attiré par l'escalier en colimaçon. Au moment où il s'apprête à gravir les premières marches, il découvre le feu qui crépite dans l'âtre et une femme attisant la braise. Il revient vers l'envol des marches: mais elles ne conduisent qu'à de l'obscurité.

Le tableau est petit, le lieu qu'il dépeint est sombre, mais on a le sentiment d'un vaste espace. C'est le génie de Rembrandt, qui fait voyager notre regard dans toutes les dimensions. En largeur, depuis la gauche, d'où irradie la lumière du jour, vers la droite, où celle du feu est fragile, presque dérisoire; le dialogue d'un soleil qui éclaire sans réchauffer et d'un feu qui réchauffe sans éclairer; soleil de la raison et feu de la passion, deux ingrédients pour philosopher? En hauteur, avec cet escalier en colimaçon qui relie profondeurs secrètes de la cave et mystères obscurs de l'étage. En profondeur, depuis le fond du tableau où siège le philosophe jusqu'au cercle de ténèbres qui l'entoure. Mais le sentiment d'espace vient aussi du jeu subtil entre le dévoilé et le caché. Ce qui importe, c'est ce qu'on imagine:

Philosophe en méditation, Harmensz Van Rijn, dit Rembrandt (*1606-1669*)
1632, huile sur bois, 0,28 x 0,34 m, Musée du Louvre, Paris

de l'autre côté de la fenêtre, derrière la porte de la cave, en haut de l'escalier. Et le plus vaste de ces univers cachés à nos yeux qui sont passés trop vite : l'esprit du philosophe, son monde intérieur. Ténèbres et pénombres, un peu de lumière, un peu de chaleur. Et un esprit en marche. Est-ce à cela que ressemble notre intériorité ?

Méditer c'est s'arrêter

S'arrêter de faire, de remuer, de s'agiter. Se mettre un peu en retrait, se tenir à l'écart du monde.

Au début, ce qu'on éprouve semble bizarre : il y a du vide (d'action, de distraction) et du plein (tumulte des pensées et des sensations dont on prend soudainement conscience). Il y a ce qui nous manque : nos repères et des *choses à faire* ; et, au bout d'un moment, il y a l'apaisement qui provient de ce manque. Les choses ne se passent pas comme à «l'extérieur», où notre esprit est toujours accroché à quelque objet ou projet : agir, réfléchir sur un sujet précis, avoir son attention captée par une distraction.

Dans cette apparente non-action de l'expérience méditative, on met du temps à s'habituer, à voir un peu plus clair. Comme dans le tableau. Comme lorsqu'on passe de la lumière à l'ombre. Nous sommes entrés en nous-mêmes, pour de vrai. C'était tout près de nous, mais nous n'y allions jamais. Nous traînions plutôt dehors : à notre époque de sollicitations effrénées et de connexions forcenées, notre lien à nous-mêmes reste souvent en friche. Intériorités abandonnées… Les extériorités sont plus faciles, et plus balisées. Alors que l'expérience méditative est souvent une terre sans sentiers. Dans la pièce où médite le philosophe, il y a moins de lumière, alors il faut ouvrir les yeux plus grand. En nous-mêmes aussi : il y a moins d'évidences et de réassurances, alors nous avons à ouvrir plus grand les yeux de notre esprit.

On pensait, on espérait trouver le calme, le vide. On tombe souvent sur un grand bazar, du tapage, du chaos. On aspirait à la clarté, on a trouvé la confusion. Parfois, méditer nous expose à l'angoisse, à la souffrance, à ce qui nous fait souffrir et qu'on évitait en pensant à autre chose, en s'agitant ailleurs.

Calmer l'agitation

Comme ça avait l'air simple, vu de dehors ! On imaginait que s'asseoir et fermer les yeux pourrait suffire. Mais non, ce n'est qu'un début, un indispensable début, ça ne suffira pas. Alors ? Alors, il va falloir travailler, apprendre à regarder, à rester là, légèrement hors du monde, comme ça, assis, les yeux fermés. Apprendre à laisser décanter le tumulte.

La première étape à franchir, c'est celle-ci : rester immobile et silencieux assez longtemps pour qu'une sorte de calme vienne envelopper le bavardage de notre esprit, suffisamment pour commencer à y voir un peu plus clair. Sans forcer, sans vouloir : cela relancerait le désordre, sinon. Laisser faire et laisser venir, de l'intérieur…

Parfois, il faut attendre longtemps. On ne peut pas accélérer ce mouvement. On voudrait bien, mais non : la méditation, ça prend du temps. Et il y a même des jours où rien ne viendra. Scandaleux, n'est-ce pas ? Et anachronique, à notre époque de promesses d'instantanéité

Nous sommes entrés en nous-mêmes, pour de vrai. C'était tout près de nous, mais nous n'y allions jamais.

et de garanties de résultats. Les sagesses zen four-millent de contes à ce propos. Comme celui-ci, dans lequel un élève demande à son maître : « Maître, com-bien de temps me faudra-t-il méditer pour atteindre la sérénité ? » Après un long silence, le maître répond : « Trente ans. » L'élève accuse le coup : « Euh... C'est un peu long. Et si je mets les bouchées doubles, si je tra-vaille dur, jour et nuit, si je ne fais plus que ça ? » Le maître garde le silence un très long moment et finit par lâcher : « Alors, cinquante ans... »

Commencer à y voir plus clair

Nous nous sommes arrêtés, donc, nous nous sommes assis et nous avons fermé les yeux. Non pour dormir, non pour nous reposer, mais pour comprendre : comprendre ce que l'on éprouve, clarifier ce désordre, qui n'est que l'écho du monde en nous. Comprendre qu'il y a deux voies : celle de l'intelligence (intervenir, agir, malaxer la réalité avec notre volonté, notre lucidité, nos efforts) et celle de l'expérience (accueillir la réalité toute nue et la laisser nous recouvrir, nous habiter, nous imprégner, dans un mouvement de lâcher prise intensément attentif).

Dans les deux cas, intelligence ou expérience, nous restons en lien avec le monde. Pour mieux le com-prendre ou mieux l'éprouver. Les deux voies sont par-faites, chacune dans son genre. Il n'y a pas de supériorité de l'une sur l'autre. Nous avons besoin des deux. Et de maintenir les deux en état de marche et de vivacité.

Disons pour simplifier que la première voie est celle de la réflexion philosophique. Et la seconde (accueillir le

monde sans forcément le penser, ou le penser mais sans mots, ou au-delà des mots), celle de la pleine conscience. C'est cette approche méditative en pleine conscience qui nous intéresse dans ce livre.

Exister en pleine conscience

La pleine conscience consiste à intensifier sa présence à l'instant, à s'immobiliser pour s'en imprégner, au lieu de s'en échapper ou de vouloir le modifier, par l'acte ou la pensée.

La pleine conscience est dans ce mouvement du philosophe, qui se détourne un instant de son travail de réflexion et passe à un autre registre : digérer, assimiler ce que son intelligence vient de produire ou de découvrir. Se préparer, peut-être, à aller encore au-delà. En s'arrêtant pour prendre conscience.

La pleine conscience, ce n'est donc pas faire le vide, ni produire de la pensée. C'est s'arrêter pour prendre contact avec l'expérience, toujours en mouvement, que nous sommes en train de vivre ; et pour observer alors la nature de notre rapport à cette expérience, la nature de notre présence à cet instant.

C'est ce qui est en train de se passer maintenant si, tout en continuant à lire lentement ces lignes, vous vous rendez compte que vous êtes aussi en train de respirer, d'avoir des sensations corporelles, d'autres objets que ce livre dans votre champ de vision, qu'il y a des sons autour de vous, des pensées qui vous appellent ailleurs ou qui murmurent des appréciations ou des jugements sur ce que vous êtes en train de lire, etc.

La pleine conscience, c'est, au moment où vous allez vous apprêter à tourner cette page et à passer à la suivante (peut-être votre main est-elle *déjà* prête avant même que vous n'ayez fini de lire ces lignes), suspendre votre mouvement et observer : observer l'intention de tourner la page qui existe déjà en vous. Vous dire «je vais tourner la page», au lieu de le faire sans même en prendre conscience. La pleine conscience c'est ça : créer, par moments, un tout petit espace pour se «voir faire». Vous me direz que ce n'est pas indispensable pour tourner une page. C'est vrai. Par contre, cela va s'avérer utile à bien d'autres moments de notre vie.

1.
PRENDRE CONSCIENCE :
UNE ATTITUDE MENTALE

« Alors l'esprit ne regarde
ni en avant ni en arrière.
Le présent seul est notre bonheur. »

GOETHE, FAUST II

VIVRE
L'INSTANT
PRÉSENT

C'est maintenant, juste maintenant. Tout à l'heure, ce sera autre chose : la pie se sera envolée, le soleil sera plus haut dans le ciel, l'ombre de la haie aura reculé… Ce sera ni mieux ni moins bien ; ce sera juste différent. Alors, c'est maintenant qu'il faut arrêter ses pas, sentir l'air froid qui pique l'intérieur du nez, écouter tous les bruits amortis, admirer cette incroyable lumière des soleils de neige. Rester là aussi longtemps que possible, sans rien attendre de particulier. Surtout pas. Mais simplement rester là en faisant de son mieux pour percevoir les innombrables richesses de cet instant : les morceaux de neige qui tombent des arbres, dans un petit bruit moelleux ; la blancheur bleutée de l'ombre de la haie ; les petits mouvements de la pie qui cherche un peu de chaleur au soleil. Tout est parfait, il ne manque rien pour que cet instant nous comble.

En pleine conscience, se rendre simplement présent à cet instant de grâce, ordinaire et lumineux.

La Pie, Claude Monet (*1840-1926*)
1868 - 1869, huile sur toile, 0,89 x 1,30 m, Musée d'Orsay, Paris

« Pour faire un jour d'hiver parfait
comme celui-ci, il faut un air clair,
étincelant, avec l'éclat de la neige,
assez de froid, peu ou point de vent,
et la chaleur doit venir directement du soleil.
Pas une chaleur de dégel. La tension
de la Nature ne doit pas se relâcher. »

HENRY THOREAU, JOURNAL (FÉVRIER 1854)

Décider d'habiter l'instant présent

Ce que nous apprend la pleine conscience, c'est à ouvrir les yeux. Cet acte est important car il y a en permanence autour de nous des mondes que nous négligeons. Ici et maintenant. Nous pouvons y entrer en arrêtant le cours automatique de nos actes ou de nos pensées.

Ce qui facilite l'accès à ces mondes de l'instant présent, ce sont certaines grâces extérieures, certes, comme le soleil, la neige et la pie du tableau de Monet. Mais aussi la décision de se mettre, le plus souvent possible, en position d'être touché, contacté, frappé par la vie. Il s'agit d'un acte de conscience volontaire, il s'agit de décider d'ouvrir la porte de notre esprit à tout ce qui est là. Au lieu de nous réfugier dans l'une ou l'autre de nos citadelles intérieures : ruminations, réflexions, certitudes et anticipations.

Cet acte est un acte de libération. Libération de nos pensées sur le futur ou le passé : la pleine conscience nous ramène dans le présent. Libération de nos jugements de valeur : la pleine conscience nous ramène dans la présence. Notre esprit est encombré de tant de choses ! Parfois importantes, parfois intéressantes. Et parfois complètement vaines et inutiles. Elles sont autant d'obstacles à la vision, autant d'obstacles à notre lien au monde. Nous avons besoin du passé et du futur, besoin de souvenirs et de projets. Mais nous avons aussi besoin du présent. Le passé importe, le futur importe. La philosophie de l'instant présent, ce n'est pas dire qu'il est *supérieur* au passé ou au futur. Juste qu'il est plus fragile, que c'est lui qu'il faut protéger, lui qui disparaît de notre

conscience dès que nous sommes bousculés, affairés. C'est à lui qu'il faut donner de l'espace pour exister.

Ressentir plus que penser : la conscience immergée

Méditer en pleine conscience, ce n'est pas *analyser* l'instant présent, ou du moins pas comme on le croit. C'est l'éprouver, le ressentir, de tout son corps, sans mots. Ce n'est ni habituel ni confortable de se passer ainsi durablement du langage pour traverser des moments de notre vie. Et pas facile : ne pas parler, passe encore, mais ne pas *penser*! Juste éprouver, se connecter. Pourtant, nous avons tous déjà fait cette expérience. Ce qui se passe alors, et qui va au-delà des mots, est très précisément décrit dans cet extrait de la *Lettre de Lord Chandos*, une magnifique nouvelle de l'écrivain autrichien Hugo von Hofmannsthal : « Depuis lors, je mène une existence que vous aurez du mal à concevoir, je le crains, tant elle se déroule hors de l'esprit, sans une pensée. [...] Il ne m'est pas aisé d'esquisser pour vous de quoi sont faits ces moments heureux ; les mots une fois de plus m'abandonnent. Car c'est quelque chose qui ne possède aucun nom et d'ailleurs ne peut guère en recevoir, cela qui s'annonce à moi dans ces instants, emplissant comme un vase n'importe quelle apparence de mon entourage quotidien d'un flot débordant de vie exaltée. Je ne peux attendre que vous me compreniez sans un exemple et il me faut implorer votre indulgence pour la puérilité de ces évocations. Un arrosoir, une herse à l'abandon dans un champ, un chien au soleil, un cimetière misérable, un infirme, une petite maison de paysan, tout cela peut devenir le réceptacle de mes révélations. Chacun de ces objets, et mille autres semblables dont un œil ordinaire se détourne avec une indifférence évidente, peut prendre pour moi soudain, en un moment qu'il n'est nullement en mon pouvoir de provoquer, un caractère sublime et si émouvant, que tous les mots, pour le traduire, me paraissent trop pauvres. »

« La pleine conscience ne réagit pas à ce qu'elle voit. Elle voit, simplement, et elle comprend sans mots », disait un maître bouddhiste. Les mots peuvent nous aider immensément, à certains moments : nommer une douleur ou une joie peut nous permettre de mieux supporter, surmonter, comprendre, savourer. Mais parfois ils ne peuvent rien pour nous, pour exprimer la complexité de ce que nous éprouvons ; ils peuvent même entraver, falsifier, gâcher notre expérience. Il y a des moments où mieux vaut ne rien dire. Il faut alors accepter de traverser la réalité différemment : ressentir, éprouver. On parle parfois ainsi de « conscience immergée » pour décrire cet état très particulier de notre esprit lorsqu'il est intensément absorbé, mais sans production de pensée volontaire, lorsqu'il est juste *dans* l'expérience.

Le goût intense de l'expérience

Lors d'une retraite de pleine conscience, je me souviens que notre instructeur nous avait proposé un de ces exercices bizarres, dont les maîtres de méditation ont le secret. Il nous avait tous réunis en rond. Puis demandé de faire un pas en avant. Après quelques secondes de silence, il nous avait alors dit : « Et maintenant, essayez de ne pas avoir fait ce pas. » Je n'avais jamais entendu, ni surtout vécu quelque chose d'aussi frappant sur l'inanité de certains regrets. Et surtout, je n'avais jamais compris aussi clairement la différence entre l'enseignement par la parole et celui par l'expérience. Dans ma surprise et ma perplexité, dans l'hésitation et le trouble de mon esprit, dans mon corps qui ne savait plus que faire, tout était transmis sur l'impossibilité d'effacer et l'inutilité de regretter…

La pleine conscience nous apprend que l'expérience est aussi importante que le savoir : lire sur la pleine conscience, ce n'est pas comme la pratiquer. Écouter un

CD d'exercices de méditation pour *prendre connaissance* de son contenu, ce n'est pas comme *faire* ces exercices.

L'expérience, comme voie d'accès au réel, ne remplace pas le savoir, la raison ou l'intelligence, mais elle les complète. Et il n'y a rien de plus simple que l'expérience, il suffit de prendre le temps : il faut juste s'arrêter pour éprouver. Pour regarder, écouter, sentir, il faut suspendre notre action ou notre mouvement. Faites-le. Maintenant. Arrêtez de lire. Arrêtez de lire, fermez les yeux et prenez conscience. Notez de quoi est composée votre expérience, juste ici et maintenant. Pendant une minute, maintenant, tout de suite. Personne, absolument personne ne peut le faire à votre place. Et personne, absolument personne ne pourra non plus méditer à votre place. Fermez les yeux.

Leçon 1

Vivre, c'est vivre l'instant présent. On ne peut pas vivre dans le passé ni le futur : on ne peut qu'y réfléchir, y spéculer, y ressasser ses regrets, ses espoirs, ses craintes. Pendant ce temps, on n'existe pas. Se rendre régulièrement présent à la richesse de nos instants de vie, c'est vivre davantage. Nous le savons, bien sûr, nous l'avons lu et entendu ; nous l'avons même pensé. Mais tout ça, c'est du bla-bla : il faut maintenant le faire, pour de vrai ! Rien ne remplace l'expérience de l'instant présent.

RESPIRER

l ne se passe rien. Pas de récit, pas de message. Juste une carpe de papier, toute seule en haut de son mât. On ressent avec elle la fraîcheur du crépuscule. Avec elle on entend la rumeur de la ville. On surplombe Kyoto, magnifique et mystérieuse, en compagnie d'un lion de pierre qui semble surveiller le mouvement des passants rentrant chez eux, et d'une autre carpe, accrochée à un autre mât, un peu en arrière.

Il ne se passe rien. On entend simplement le claquement du corps de papier des deux poissons dans le vent. On sent sur notre peau le passage de la brise du soir qui traverse les carpes en les gonflant, et leur prête une vie transitoire. Demain, peut-être, elle les abandonnera, ou les déchirera. Mais pour l'instant, elles sont là, haut dans le ciel, et frétillent vaillamment.

Il ne se passe rien. Du vent. Du vide. Mais ce vide qui passe fait respirer un peu mieux notre esprit. Le vent présent dans la peinture, mais invisible pourtant.

Comme notre souffle, présent dans notre corps.

Bannières en forme de carpes à Kyoto (*Carp Banners in Kyoto*),
Louis Dumoulin (*1860-1924*)
1888, huile sur toile, 0,46 x 0,53 m, Museum of Fine Arts, Boston, Fanny P. Mason Fund in Memory of Alice Thevin.
Détails pages 33, 37 et 39.

« Le vent souffle où il veut ;
tu entends sa voix, mais tu ne sais
ni d'où il vient ni où il va. »

SAINT JEAN, ÉVANGILE, 3,8

La respiration, au cœur de la méditation

Depuis toujours, la respiration occupe une place centrale dans les pratiques méditatives : c'est le moyen le plus puissant pour se connecter à l'instant présent (ou pour s'apercevoir qu'on a du mal à s'y connecter…). C'est pourquoi un des conseils les plus simples et les plus efficaces que l'on donne aux débutants, c'est de prendre plusieurs fois dans la journée le temps de respirer, seulement respirer, pendant deux ou trois minutes entières.

Il y a plusieurs raisons à cette importance accordée au souffle. Comme il faut que l'objet de la pratique n'endorme pas l'attention, il y a un avantage à se concentrer sur une « cible mouvante » : il est plus facile de fixer son attention, sans la fatiguer à l'excès, sur quelque chose qui reste là mais n'est jamais immobile. C'est pourquoi nous pouvons rester fascinés et éveillés pendant de longs moments devant les vagues de la mer, les flammes du feu ou le passage des nuages : toujours là mais jamais identiques. Il en est de même de notre souffle : toujours présent et toujours mouvant. Aucune respiration n'est exactement semblable à la précédente ni à la suivante. Il y a aussi, bien sûr, la symbolique : le souffle, c'est la vie.

Le souffle est également intéressant parce qu'on peut exercer sur lui un contrôle relatif mais réel, en l'accélérant ou en le ralentissant. Ce qui n'est pas le cas de bien d'autres fonctions automatiques de notre corps : il est ainsi difficile de modifier nos mouvements cardiaques, notre tension artérielle, difficile aussi d'accélérer ou de ralentir notre digestion ! Le travail sur le souffle est utile car il a un impact sur notre ressenti émotionnel.

On peut se pacifier par le souffle. Pas en le contrôlant, mais en se connectant humblement à lui et en l'accompagnant doucement. Faire l'expérience d'accepter une émotion douloureuse en se contentant de respirer tout en l'observant est une grande introduction à la dialectique de la volonté et du lâcher prise, dont nous reparlerons. Lorsqu'on va mal, lorsqu'on souffre de dépression ou d'anxiété, on respire mal. Travailler sur son souffle dans ces moments ne résoudra pas tous les problèmes ni ne supprimera toutes les souffrances ; mais ce sera toujours une forme d'allégement. Pourquoi s'en priver ?

Les leçons du souffle

Les chrétiens connaissent bien le « Lève-toi et marche » de Jésus au paralytique. J'aime parfois imaginer qu'un jour, à un inquiet venu lui demander conseil, Bouddha adressa une parole symétrique : « Arrête-toi et respire. » C'est qu'il y a tant de leçons à recevoir de la part du souffle…

Une leçon de conscience : le souffle est invisible, nous oublions sans cesse sa présence. Mais son rôle est vital, nous avons un besoin absolu de respirer. Et il y a comme cela dans nos vies tant de choses qui nous soutiennent et dont nous n'avons pas conscience.

Une leçon de dépendance et de fragilité : notre besoin de respirer est encore plus net et immédiat que celui de manger, de boire, d'aimer ou d'être aimé, nos autres nourritures. Le souffle nous apprend que nous sommes soutenus par de nombreuses dépendances. Mais ces liens nous construisent et nous nourrissent. L'idée de lien et de dépendance inquiète parfois les anxieux : « Et

On peut se pacifier par le souffle.
Pas en le contrôlant, mais en
se connectant humblement à lui
et en l'accompagnant doucement.

si tout cela m'était retiré ? Et si un jour je m'arrêtais de respirer ? » Alors, ils cherchent à l'oublier. La solution n'est, bien sûr, pas de refouler cette pensée que notre vie tient à notre souffle. Mais plutôt d'arriver à admettre cette idée, qui est une réalité, en la contemplant souvent, en lui permettant de déambuler librement à l'intérieur de notre esprit. En la rendant familière, pour désamorcer sa charge d'inquiétude.

Une leçon de subtilité : le souffle est à la fois dedans et dehors. Il brouille les repères du moi et du non-moi. Repères qui sont souvent des illusions, et parfois des sources de souffrance. Trop s'accrocher à la certitude qu'il y a nous d'un côté, le monde de l'autre n'est pas une bonne chose. C'est pourquoi méditer dans la brise tiède en été représente une expérience savoureuse : au bout d'un moment, il y a une fusion entre notre souffle, au dedans, et la brise du monde, au dehors.

Une leçon d'humilité : à la fois volontaire et involontaire, le souffle nous apprend à accepter que nous ne contrôlons pas tout ; ce que notre société nous désapprend volontiers, voulant nous faire croire que tout se contrôle et se maîtrise. Mais le souffle nous apprend aussi à ne pas rester passifs et résignés : il nous montre que l'on peut, tout de même, agir humblement mais efficacement avec ce que nous ne contrôlons pas totalement.

Une leçon de réalité : ce souffle, si important, n'a pas d'identité propre. Il se fait et se défait sans cesse. C'est ce que les bouddhistes appellent la *vacuité* : non que ça n'existe pas, mais ce n'est pas une réalité solide comme nous le pensons, ou à laquelle s'accrocher pour se sécuriser comme nous le souhaiterions. Le souffle est comme le nuage, le vent, la vague ou l'arc-en-ciel : bien réel mais sans permanence, toujours présent mais toujours de passage…

Le souffle est toujours là…

Toujours là, avec nous. Comme une ressource toujours disponible pour prendre conscience, pour se rattacher à l'instant présent en observant, sans chercher à les modifier, les mouvements de ma respiration, dans tout mon corps.

Le souffle, c'est l'ancre de la pleine conscience, qui nous aide à nous amarrer à l'instant présent. Parfois, c'est ce que les marins appellent une ancre flottante : celle qui permet au navire de ralentir et de ne pas chavirer dans la tempête, lorsqu'il n'y a plus aucune manœuvre possible. La respiration est comme une amie toujours disponible. Attention de ne pas lui demander l'impossible : inutile de chercher à respirer pour *ne pas* ressentir (stress, angoisse, peur, tristesse, colère). Mais respirer pour ne pas se faire engloutir. On se centre sur la respiration comme on demande à un ami d'être à nos côtés pour affronter l'épreuve ou la difficulté.

Face à la douleur? Respirer. Face à la détresse? Respirer. Au début, ça me paraissait bien limité comme message. Puis, j'ai compris. Le vrai message, le message complet, c'est: «Commencez par respirer; tout sera plus clair ensuite.» Ce qu'il y aura à faire ou à penser apparaîtra alors avec plus d'évidence. Respirer ne transforme pas la réalité. Mais respirer transforme l'expérience que l'on a de la réalité. Et préserve nos capacités à agir sur cette réalité.

Une fois que nous avons pris l'habitude de pratiquer régulièrement, nous ne respirons plus, nous n'*observons* plus notre respiration: c'est tout notre corps qui respire, nous *sommes* dans notre respiration, nous sommes notre respiration même. Ce n'est pas une illusion ou une autosuggestion: nous sommes juste arrivés, par le mouvement de notre conscience, au cœur d'un des mille phénomènes qui font de nous une créature vivante.

Alors, la respiration devient bien plus que la respiration : elle devient une voie privilégiée de communication et d'échange avec tout ce qu'il y a en nous et tout ce qu'il y a autour de nous. Que cela soit douloureux ou délicieux. Car on peut aussi, bien sûr, respirer face à la beauté et à la douceur…

Leçon 2

On pense souvent qu'on n'a pas grand-chose à faire d'un phénomène aussi familier, ordinaire et automatique que la respiration. Quelle erreur ! Il y a d'énormes bénéfices à prendre conscience de sa respiration, à se rendre simplement conscient de sa présence, de toutes les sensations auxquelles elle est reliée dans notre corps, sans chercher à la modifier. À juste lui prêter attention. Lorsqu'on est heureux et lorsqu'on est malheureux. Sans rien en attendre. Ne pas demander à la respiration de résoudre nos problèmes. Mais comprendre que, lorsque nous n'arrivons pas à les résoudre, mieux vaut mille fois prêter attention à notre souffle qu'à nos ruminations.

HABITER
SON CORPS

l est debout, nigaud avec son pantalon trop court, ses manches trop longues, ses rubans rouges aux souliers, déjà démodés à son époque. La masse blanche du costume de soie moirée mobilise notre regard. Pierrot crève l'écran, comme on dit aujourd'hui. Mais bien qu'il soit au premier plan de la scène, personne ne s'occupe de lui : les trois autres personnages, à l'arrière-plan, semblent beaucoup plus intéressés par l'arrivée d'un quatrième, sur un âne au regard mélancolique.

Pierrot a l'air triste et tranquille. Il se demande sans doute si les spectateurs le regardent pour l'aimer ou pour se moquer. Il est vaguement indifférent à ça. Résigné, habitué à ne pas être admiré, à être oublié. Mais restant là, habitué aussi à ce qu'on comprenne à un moment donné qu'il est indispensable. L'histoire ne pourra continuer sans lui, alors…

Pierrot, dit autrefois Gilles, Jean-Antoine Watteau (*1684-1721*)

Vers 1718 - 1719, huile sur toile, 1,85 x 1,50 m, Musée du Louvre, Paris

Il n'est pas vraiment beau, mais il a quelque chose, tout de même. Une présence, simple et évidente. Pierrot nous rappelle, à nous qui en avons besoin, qu'il n'est pas nécessaire que notre corps soit beau, fort, souple pour l'aimer et comprendre à quel point il compte dans notre vie. À quel point il peut être notre guide dans l'univers de la pleine conscience…

« L'esprit et le corps sont-ils séparés,
et si oui, lequel vaut-il mieux choisir ? »
WOODY ALLEN

Méditer avec le corps

Les non-méditants pensent souvent que la méditation est une pratique seulement psychique. Quelle erreur! C'est en réalité une pratique éminemment corporelle. Et, après de longues séances de méditation, le corps peut être épuisé, parfois plus encore que l'esprit.

Parmi les pratiques méditatives, la pleine conscience repose notamment sur une expérience respectueuse des sensations corporelles. Il s'agit de se connecter à son corps, de lui prêter conscience et attention. Il ne s'agit pas de *penser* à son corps, de juger ce qui s'y passe, d'essayer de le détendre ou de s'agacer envers lui, mais simplement d'entrer en contact avec lui. De le réintégrer dans le champ de notre esprit, de notre attention, de notre conscience. Sans chercher, dans un premier temps, à modifier quoi que ce soit.

Il y a dans toute approche de la pleine conscience, de nombreux et réguliers exercices autour du corps. Juste prendre conscience de tout notre corps, doucement, partie après partie. Prendre notre corps comme centre de gravité de l'expérience de l'instant présent. Pratiquer des exercices sur la posture, par exemple, tous les matins, prendre dix respirations en se tenant debout le plus droit possible et sans raideur. Prendre conscience de sa posture, la corriger tout doucement, naturellement, pour lui donner dignité et confort, et prendre le temps de sentir ce que cela fait à notre corps. Faire des étirements lents en pleine conscience. Les pratiques sont innombrables…

Ce n'est pas seulement de la gymnastique, mais une voie de connaissance de soi, qui ne passe pas par les mots:

peut-être plus grossière, mais aussi plus «première» que l'introspection psychique. Une introspection corporelle, en quelque sorte, tranquille et bienveillante, qui consisterait à se dire doucement: «Prenons un peu le temps de voir, de sentir comment ça va, là-dedans…» Cela peut nous aider, souvent: lorsque nous sommes perdus dans notre tête, lorsque nous sommes confus, le corps ne ment pas et nous informe. Alors bien sûr, pas question de le mépriser, comme le rappelait Nietzsche: «J'ai un mot à dire à ceux qui méprisent le corps. Je ne leur demande pas de changer d'avis ni de doctrine, mais de se défaire de leur propre corps; ce qui les rendra muets.» Parfois, ce n'est pas du mépris mais de l'oubli: nous l'oublions, notre corps, nous nous prenons pour de purs esprits. Et nous le traitons comme un outil: nous en attendons le silence (la santé), la jouissance (des organes et des sens), l'obéissance (pour nous transporter et nous servir). C'est déjà bien. Déjà beaucoup. Mais il peut bien plus pour nous…

Le corps : porte d'entrée de l'esprit

Le corps et l'esprit: ces deux-là sont indissociables, ne se lâchent jamais. Les apaisements de l'un jouent sur l'autre, les emballements aussi. On agite souvent la légende du dualisme cartésien, corps et esprit comme deux entités séparées mais Descartes n'a jamais dit ça. Personne d'ailleurs ne l'a dit comme ça. La dualité exprime juste une hiérarchie, une conviction sur les rapports de force: lequel peut se faire obéir de l'autre? Nous pensons en général que l'esprit doit se montrer plus fort que le corps. Mais c'est comme dans un couple : cela dépend des moments, des domaines, cela change et évolue. Et c'est parfait ainsi.

Le corps et l'esprit, ce n'est ni la même chose, ni deux choses séparées : ce sont deux réalités différentes mais très étroitement connectées. Avoir conscience de ces connexions peut énormément nous apprendre. C'est cela, faire l'expérience de son corps ; ce n'est pas se dire rapidement et vaguement : «Oui, oui, j'ai un corps et c'est important d'en prendre soin.» Mais c'est, aussi souvent que possible, s'arrêter et éprouver ce qui se passe juste à cet instant en nous. Se connecter à lui. L'éprouver, le ressentir délibérément, subtilement, respectueusement. Et pas seulement lorsqu'il nous fait souffrir ou jouir.

Apprendre à lire nos sensations, leur prêter attention : elles sont le tableau de bord qui témoigne de l'équilibre ou du déséquilibre de notre âme. Parfois, en permettant à notre corps d'exister à notre esprit, nous éprouvons des sensations étranges : comme si on sortait de son corps, comme s'il flottait, ou comme s'il était très lourd, ou qu'il se déformait. Parfois aussi on sent arriver du désagréable : on prend alors conscience de tensions ou de douleurs que l'on fuyait dans des distractions, des occupations, des ruminations portant sur des sujets extérieurs. En cela, la méditation diffère de la relaxation : son but n'est pas seulement, ou pas prioritairement, de nous faire du bien ou de nous conduire à la détente, mais simplement d'être conscients de ce qui se passe en nous. Et parfois, ce qui se passe en nous est douloureux. Mais la pleine

conscience nous recommande de l'accepter et de l'observer, d'accueillir ces douleurs plutôt que de les fuir.

Bienfaits et réparations

On le sait depuis longtemps : quand on fait du bien à son corps, on fait du bien à son esprit. Activité physique, détente et relaxation, mais aussi sourires, postures droites et dignes retentissent sur notre mental. Cet effet est discret et cumulatif : inutile d'en espérer un bénéfice spectaculaire ou immédiat. Il est aussi imprévisible. C'est pourquoi, dans la pleine conscience, on recommande de ne pas «vouloir» : ne pas vouloir se détendre, ne pas vouloir se faire du bien, ne pas vouloir atteindre un état précis. En tout cas, pas au moment de la méditation. Dans ce moment, ne rien espérer ni viser, mais juste s'ouvrir à ce qui existe, être là, l'accueillir à notre conscience. Rien de plus. Le maître mot est alors «permettre». Et «faciliter»…

Faciliter, car les chercheurs ont le sentiment, depuis quelques années, que le corps a des capacités d'auto-réparation (attention, ce ne sont pas des garanties de santé ou d'immortalité) facilitées par les douceurs et les bonheurs qu'on lui propose, mais aussi par le simple fait de lui laisser de l'espace mental, de l'écouter en lui permettant de s'exprimer. La méditation semble avoir un effet de frein sur le vieillissement cellulaire, en agissant sur les télomères, ces petits capuchons qui se trouvent à l'extrémité de nos chromosomes.

Donner régulièrement de l'espace à notre expérience des sensations corporelles est sans doute bénéfique à notre santé. C'est pourquoi la pratique de la pleine conscience recommande cet exercice qui consiste à passer régulièrement en revue toutes les parties de notre corps, tranquillement, doucement. Un peu comme si on marchait sur les chemins d'une forêt, pour ramasser les branches mortes, pour vérifier que tout est bien, on parcourt ainsi les chemins de son corps. Même si ce corps est malade, souffrant, abîmé, usé ; on lui donne, de notre mieux, ici et maintenant, attention, estime, espace et affection.

Dans l'attente, tranquille et lointaine, que ce corps, tel qu'il est, d'accepté devienne pacifié ; et que ce corps pacifié permette un esprit éclairé…

Leçon 3

C'est drôle comme la plupart d'entre nous avons tendance soit à oublier notre corps, soit à s'en inquiéter, passant du déni lorsque nous allons bien à l'hypocondrie lorsque nous allons mal. La pleine conscience nous recommande simplement de lui rendre régulièrement des visites amicales : se reconnecter à nos sensations, faire un état des lieux, le passer tranquillement en revue, en nous endormant, en nous éveillant, lors des moments où nous avons quelque répit. Voir ce qui s'y passe, sans chercher, là encore, à résoudre ou à soulager. Juste observer. Et cela sera déjà un premier et immense bénéfice : donner un peu de place à notre corps, au sein de notre conscience.

FERMER
LES YEUX
ET ÉCOUTER

L a peinture, ce n'est pas que pour les yeux. Certains tableaux arrivent aussi à chuchoter à nos oreilles. Comme celui-ci par exemple : c'est un tableau à écouter. À regarder aussi, bien sûr, mais surtout à écouter.

Il y a les cris des enfants qui jouent, et les appels au calme de leurs mères. Il y a le vent qui fait doucement bruisser les feuilles des arbres. Le chant des oiseaux. Peut-être un ou deux chiens qui aboient au loin.

Tout à coup, un drôle de bruit s'invite. Peu à peu, il grandit. Tschtt-tschtt-tschtt, tudum-tudum-tudum… Le son de la locomotive à vapeur s'amplifie, prend de la place, emplit l'espace de son halètement, de la rumeur de ses roues sur les rails. Tschii-tschii : voici le sifflet que le conducteur actionne, par allégresse ou par habitude, au passage du viaduc.

Train dans la campagne, Claude Monet (1840-1926)

Vers 1870, huile sur toile, 0,50 x 0,653 m, Musée d'Orsay, Paris

Puis tout diminue, le train a disparu, on l'entend encore un peu dans le lointain. Au bout d'un moment, plus rien : tout s'efface et se dissout imperceptiblement. Il n'y a plus maintenant que le souvenir de son passage. À quel moment exactement le son du train s'est-il arrêté ? Combien de temps tout cela a-t-il duré et capté notre esprit ? Question sans aucune importance ? Peut-être. Mais peut-être aussi en a-t-elle énormément car elle peut nous éclairer sur la manière dont notre esprit écoute – ou non– la vie.

La vie qui continue, moment après moment. Et doucement, c'est le retour, au premier plan de notre conscience, du bruit des enfants, des mamans, du vent et des oiseaux. Et peut-être d'un ou deux chiens, qui continuent d'aboyer au loin….

« J'écoute le chant de l'oiseau
non pour sa voix,
mais pour le silence qui suit. »

YONE NOGUCHI, SOURCES DE SAGESSE ORIENTALE

J'écoute le chant d'un oiseau pour le chatouillement agréable qu'il produit à mon oreille. Les silences qui entrecoupent ce chant, font partie du chant. C'est la contreforme l'contre chant du chant – CONTRE = avec le chant –

Toutes sortes de sons

Les bruits, les sons, la musique : quelles différences ? Un bruit, c'est tout ce qui touche notre oreille, toute sensation auditive. Un son, c'est un bruit qui a du sens (le son d'une voix ou le son d'une cloche), un bruit organisé, identifié, analysé par notre esprit. Une musique, c'est un ensemble de sons complexes, superposés, harmonieux.

Nous baignons dans un univers sonore permanent, dont nous ne prenons conscience que par moments. Les preneurs de son, au cinéma ou à la radio, savent recréer ces ambiances, humaines – marché en plein air, bistrot, bureau – ou naturelles – bord de mer, forêt en automne… En les écoutant avec attention, on réalise alors la complexité et la beauté, parfois, de ces univers sonores.

Nous avons besoin de ces sons, notamment des vrais sons de la vie, de la nature. Ils sont la nourriture *bio* de nos oreilles. La mer, la montagne, la campagne nous les offrent. C'est pourquoi leur pouvoir pacifiant est grand sur nous : ce sont les très vieux sons de nos racines animales.

Entendre, écouter, penser...

Entendre : lorsque nous entendons, nous sommes dans une attitude de réceptivité, une attitude « passive » ou plutôt non interventionniste. Écouter : dans l'écoute, notre attention est mobilisée, et volontairement portée sur les bruits et les sons, sur leur analyse.

Alors, c'est l'enclenchement de la réflexion et des pensées : en fait, on *entend* le bruit d'une ambulance et, tout de suite, on l'*écoute* en lui donnant du sens, parfois inconsciemment : on *pense,* par exemple, qu'il y a eu un accident, ou une personne très malade, et on peut ressentir de la compassion, de l'inquiétude ou de la tristesse.

On *entend* des pas dans l'appartement au-dessus de chez nous, alors on *écoute* un peu mieux et on cherche à *reconnaître* le son de cette démarche ; on visualise peut-être une personne précise (une femme si c'est un bruit de talons hauts, ou quelqu'un qu'on connaît et qui a l'habitude de marcher ainsi). Parfois, on émet un jugement de valeur, et on aime ou on n'aime pas ce son, on se met à penser à tout ce qu'il signifie… Cette production de pensées, à partir des bruits et des sons, nous enrichit et nous appauvrit à la fois : le sens que nous donnons aux sons entre en compétition avec notre présence au monde.

Dès que nous produisons des mots, nous avons tendance à quitter l'expérience sensible. Alors, on n'est plus dans l'univers sonore, on l'a quitté pour notre univers mental. Ce n'est pas grave, et c'est parfois nécessaire, ou même vital : ressentir n'est pas toujours suffisant, il faut aussi comprendre. Mais, comme pour tous les mouvements automatiques de notre esprit, il est important de se rendre compte de ce qui a lieu en nous. Important aussi de faire régulièrement l'effort de s'affranchir de ces automatismes. Et de revenir à l'écoute neutre et accueillante de la vie. À l'écoute en pleine conscience, qui parfois nous permettra d'accéder à l'inouï. L'*inouï*, qui veut dire « ce qu'on n'a jamais entendu ». Parce qu'on ne l'a jamais vraiment écouté…

L'accueil serein des sons

Lorsqu'on travaille sur les sons, en pleine conscience, on s'efforce de tout accueillir. De lutter contre la tentation permanente de filtrer («Zut, c'est distrayant ce bruit, je vais essayer de ne pas y penser») et de juger («C'est pénible ces gens qui font chauffer leur moteur à grands coups d'accélérateur»). La pleine conscience, ce n'est pas de la relaxation (où l'on a besoin du silence ou du calme) mais de la méditation (où il s'agit de cultiver un rapport apaisé au monde) : on peut pratiquer avec des bruits autour de nous. Même si ce n'est pas ce que l'on préfère, on doit savoir le faire.

Dans la pleine conscience, on s'entraîne souvent à simplement prêter attention aux sons, à l'essentiel des sons : sont-ils loin ou près, aigus ou graves, continus ou intermittents, y a-t-il des moments de silence, des intervalles ? On s'efforce d'observer et d'accueillir leurs caractéristiques premières, de les prendre pour ce qu'ils sont.

Bien sûr, notre esprit partira naturellement vers l'interprétation des sons («C'est le bruit de ceci ou de cela»), le jugement («C'est agréable ou déplaisant»), les enchaînements de pensée qui en découlent («Cela me fait songer à…», «cela me rappelle que…»). C'est normal, inutile de s'en agacer, car c'est ainsi, toujours, que l'esprit fait : juger et entourer de bavardage nos expériences et nos sensations. Ce n'est pas grave, si on en est conscient : travailler sur les sons, c'est observer en soi la différence entre les sons et leur sens. Et revenir alors à l'écoute simple : prendre le son pour le son. Les pensées reviennent toujours ? C'est normal, c'est parfait. Cela nous apprend à comprendre les mouvements de notre esprit. Les pensées nous laissent tranquilles ? Parfait aussi. Cela nous apprend à savourer le goût du son…

Souvent, lorsque nous pratiquons en groupe à l'hôpital, il arrive que le portable d'un des patients sonne. Sans arrêter la séance, je donne alors la consigne suivante : « C'est une merveilleuse occasion. Restons dans l'exercice, gardons nos yeux fermés, accueillons cette sonnerie, percevons ce qu'elle induit chez nous comme pensées : "C'est agaçant"; "son propriétaire doit être gêné"; "ce n'est pas poli"; "est-ce que le mien est bien éteint ?" Observons tranquillement, en souriant, tout ce que cette sonnerie a fait naître en nous…» De même, lorsqu'un participant arrive en retard à la séance pendant un exercice : nous gardons les yeux clos, l'écoutons s'installer et nous amusons à noter les bruits qu'il fait, et les pensées que cela amorce en nous. Cette position d'observateur apaisé est le cœur même de la pratique de la pleine conscience.

Silence

Le silence est aux bruits ce que l'ombre est à la lumière, ou le sommeil à la veille : une autre face, indispensable. L'envahissement permanent du bruit est toxique, il participe à l'accumulation d'excitations que nous impose la vie dite «moderne». Même s'il est intéressant (les infos en continu à la radio), même s'il est harmonieux (la musique partout), sa présence constante nous fatigue, nous affaiblit, empêche notre esprit de respirer, puis de fonctionner, comme une sorte de bavardage constant qui prendrait la place de notre pensée.

Alors, il faut se rappeler la puissance du silence, caisse de résonance des bruits de la vie. Pas forcément le silence complet, mais sa présence entre les sons, entre les moments où le bruit est inévitable (un trajet en ville) ou souhaitable (les discussions et la musique d'une soirée de fête). Les temps de silence sont comme des respirations, des parenthèses : des mises en valeur des sons que nous aimons, et des soulagements de ceux qui nous indisposent.

Puissance du silence et de son cousin, le calme. Qui n'est pas l'absence de bruits mais de paroles inutiles, d'interventions artificielles. Le silence et le calme nous permettent ainsi d'entendre et d'écouter toutes les musiques de la vie.

Leçon 4

S'arrêter, fermer les yeux, et écouter. Accueillir tous les sons. Autour de nous, les agréables (un oiseau qui chante) et les désagréables (un moteur qui ronfle) ; en nous, les apaisants (notre respiration) et les dérangeants (acouphènes ou gargouillements). Le but de ces moments de pleine conscience auditive n'est pas de nous faire du bien, pas directement, mais de nous ouvrir les yeux, si j'ose dire ici : nous faire prendre conscience de l'existence de ces bains sonores, et de ce qu'ils déclenchent en nous comme émotions, pensées ou impulsions. Et puis, bien sûr, de savourer les silences.

OBSERVER
SES PENSÉES

L e promeneur s'est arrêté. Du coup, arrêté aussi le froissement des feuilles mortes écrasées sous ses pas, arrêté ce bruit qui berçait sa balade. Il est là, devant cette grande flaque ; il se dit qu'il a beaucoup plu ces derniers jours, la terre n'arrive plus à accueillir toutes les eaux tombées du ciel ; alors elle les fait attendre à la surface, comme un hôtelier débordé fait patienter ses clients.

Le promeneur s'est arrêté, et il se dit… Non, il ne se *dit* pas, il ne se *dit* rien. C'est son mental qui bavarde tout seul. Lui, il écoute et prend conscience de ce bavardage : « C'est beau, ces couleurs », « il y en a qui sont déjà pourries », « est-ce que je vais abîmer mes chaussures si je marche dans l'eau ? », « je faisais ça quand j'étais petit, mais j'avais des bottes en caoutchouc », « quelle heure peut-il bien être ? », « un jour je

Reflection (What does your soul look like ?), Peter Doig (*né en 1959*)
1996, 2,80 x 2,00 m (PD 82). Détails pages 64 et 69.

serai mort comme ces feuilles », « j'ai bien fait de prendre mon gros manteau, il fait froid, l'hiver est arrivé tôt cette année »… Puis doucement, ça se calme en lui, cette bousculade de pensées. Il éprouve sa respiration, perçoit son cœur. Son attention se pose sur une des feuilles, à demi pourrie. Il la regarde, ou plutôt il la voit. Il voit aussi toutes les autres. Plus envie de bouger. Rester là. De temps en temps, de nouvelles pensées traversent son esprit. Il les entend, comme il voit les feuilles. Présence et recul. Une pensée chuchote : « Tes pensées sont comme ces feuilles, il y en a beaucoup, dans tous les sens, laisse-les aller et venir, comme ça ; c'est parfait ; cet instant est parfait ; tu n'as rien à attendre de plus que ce que tu es en train de vivre ici et maintenant. »
Puis, silence des pensées. Bouffée d'éternité.

« Il est deux processus que les êtres humains
ne sauraient arrêter aussi longtemps qu'ils vivent :
respirer et penser. En vérité, nous sommes capables
de retenir notre respiration plus longtemps que
nous ne pouvons nous abstenir de penser.
À la réflexion, cette incapacité à arrêter la pensée,
à cesser de penser, est une terrifiante contrainte. »

GEORGE STEINER, DIX RAISONS (POSSIBLES) À LA TRISTESSE DE PENSÉE

Le bavardage de notre esprit

Notre cerveau est une extraordinaire machine à produire des pensées. Extraordinaire mais très difficile à arrêter. Dès que nous nous réveillons, la production de pensées commence. Sénèque parle, dans son traité *De la tranquillité de l'âme*, du «tourbillonnement de l'âme qui ne se fixe à rien…» Dès le matin, se réveiller c'est commencer à penser, ou plutôt à être assailli par un flot de pensées. Qui nous parlent de tout : du passé, du futur. Moins souvent du présent.

Et de fait, ce que nous appelons penser ou réfléchir, ce n'est pas *produire* des pensées (ce mouvement existe en dehors de notre volonté ou de notre intervention) mais trier ses pensées, les organiser, les hiérarchiser, essayer de se focaliser sur quelques-unes, de les développer, tout en essayant d'en écarter d'autres. Voilà pourquoi il est vain d'espérer que la méditation nous conduise rapidement et sur commande à une sorte de silence de l'esprit, à une absence de pensées. Cela se produit parfois, mais c'est par intervalles, par moments. Puis le bavardage reprend.

«La conscience règne mais ne gouverne pas», disait Paul Valéry. J'ai toujours aimé cette phrase, qui me semble dire l'essentiel : la différence entre la puissance et la toute-puissance. Matthieu Ricard compare, dans la tradition bouddhiste, le flot de nos pensées à une troupe de singes qui s'agitent et piaillent sans cesse, sautant d'une branche à une autre, toujours en mouvement. Quel tumulte ! Et quel risque de confusion ! Que faire ? Ce mouvement est impossible à stopper, difficile à contrôler. Et le risque, c'est qu'on remplace alors cette dispersion par de la concentration sur une seule pensée : c'est ce qui s'appelle une obsession, et ce n'est guère mieux. Autre risque, celui de la distraction : on remplit notre esprit d'autre chose, quelque chose de facile, d'extérieur, de canalisé, d'assez fort pour capter notre attention. Et du coup, on arrête ce bavardage. Remplissage contre bavardage. Pourquoi pas ? Mais on peut aussi développer d'autres voies.

Dans la pleine conscience, nous allons ainsi renoncer à vouloir arrêter ou fuir le flot de nos pensées, et choisir plutôt de l'observer. En faisant une sorte de pas de côté : penser et se voir penser. Le zen propose la métaphore de la cascade : on est entre la chute d'eau (le flot de nos pensées) et la paroi du rocher. Légèrement décalé, on s'observe penser ; on n'est plus sous le flot (distance), mais on n'en est pas loin (présence). On utilise ainsi nos capacités de conscience réflexive, qui consistent à s'observer soi-même. Mais peut-on vraiment s'observer penser ? La psychologie à la première personne, introspective ou phénoménologique, a longtemps été déconsidérée : comment prétendre être juge et partie ? « On ne peut pas, disait Auguste Comte, se mettre à la fenêtre pour se regarder passer dans la rue. » En matière de conscience, c'est pourtant possible : il faut juste beaucoup, beaucoup d'entraînement…

Regarder passer ses pensées...

Comme toujours, dans la pleine conscience, on renonce à l'action frontale et brutale. Inutile de chercher à supprimer ses pensées ; on provoquera souvent, au contraire, un effet de rebond. Et difficile aussi de se dire :

«Tiens, je vais observer mes pensées»; on aura souvent l'impression qu'il n'y en a pas. Mais c'est parce que nous avons trop le nez dedans: nous sommes tellement *dans* nos pensées, nous *sommes* tellement nos pensées qu'on les prend pour la réalité.

La pleine conscience nous dit juste ceci: inutile de chercher à bloquer nos pensées, inutile de chercher à chercher nos pensées, mieux vaut élargir notre esprit.

Alors, on commence par autre chose, par se caler, s'ancrer, se centrer sur l'instant présent: grâce à la respiration, à l'écoute des sons, à la perception de ses sensations corporelles. On est déjà dans une meilleure attitude pour observer le mouvement de ses pensées. Pendant qu'on s'occupe d'autre chose, par exemple de se centrer sur l'expérience de sa respiration, à un moment, on voit qu'on s'est laissé embarquer: on était dans la respiration, et hop! on s'est mis à «penser à autre chose», on a suivi une pensée qui passait. Sans s'en rendre compte; on ne le réalise qu'après-coup.

Avec un peu d'entraînement, on repère aussi les pensées aux ordres qu'elles nous donnent lorsqu'on tente de prendre de la distance envers elles. Alors qu'on fait un exercice de pleine conscience dans lequel on essaye de juste être là, présent à ses mouvements respiratoires, aux sons qui nous arrivent, tout à coup, une impulsion, une envie, un ordre: «Arrête, ouvre les yeux, fais tel ou tel truc, plus urgent, plus important…» Si on résiste, nos pensées insistent: «Fais-le *maintenant*, sinon tu vas oublier!» Nous croyons que c'est *nous* qui voulons cela, que nous en avons *besoin*; mais ce n'est pas si sûr.

En pleine conscience,
c'est nous qui décidons si nous suivons
nos pensées – pourquoi pas ? –
ou si nous choisissons autre chose.

La preuve : en n'obéissant pas tout de suite, de manière réflexe, à ces ordres déguisés en envies, en impulsions, en nécessités, nous nous apercevons souvent qu'ils sont discutables, évitables. Ces ordres sont, par exemple : « Gratte-toi le nez », « ouvre les yeux pour voir quelle heure il est », « note de penser à téléphoner à ton frère… » Nous pouvons désobéir ou différer, mais seulement si nous sommes conscients que ces intrusions ne sont que des pensées…

Au début, on identifie ces pensées au moment où elles ont entraîné notre esprit hors de l'exercice : on n'est plus dans sa respiration ou son corps, mais en train de « penser à un truc ». C'est normal, c'est comme ça que l'esprit fait, tout le temps. Alors, sans s'agacer, on revient à l'exercice ; les pensées reviennent ; on s'en aperçoit, et on revient à l'exercice, etc. Ces mouvements sont la base même de l'entraînement à la pleine conscience. Les pensées ne sont pas un problème, le problème, c'est de ne pas être conscient de la dispersion, de l'agitation mentale, et surtout de la confusion (entre pensées et réalité), et de l'adhésion (prendre *toutes* ses pensées au sérieux). Le problème, ce n'est pas tant le contenu ou le mouvement des pensées, que le rapport que nous avons avec elles. Ne pas vouloir les empêcher, ne pas chercher à les chasser, donc. Mais ne pas non plus les suivre, leur obéir, se résigner à les subir. Les accueillir et les observer dans le cadre d'une conscience élargie (d'où l'importance de s'ancrer dans l'instant présent par le souffle, le corps, les sons). Et simplement cesser de les nourrir.

Peu à peu, avec de l'entraînement, on voit de mieux en mieux ses pensées être juste des pensées : on les identifie mieux comme des phénomènes mentaux transitoires, et non plus comme des certitudes durables. On les voit apparaître ; et souvent, si on ne les suit pas, on les voit se dissoudre. Puis revenir. Puis repartir. En *faire l'expérience* vécue représente un apprentissage bien plus puissant que simplement le *savoir* : nous savons que nos pensées ne sont que des pensées mais, lorsqu'elles nous embarquent, ce savoir ne nous sert plus guère. Seules la pratique régulière et l'expérience peuvent nous aider à cette prise de distance envers le mental, à cette habitude de laisser nos pensées se dissoudre d'elles-mêmes.

En pleine conscience, c'est nous qui décidons si nous suivons nos pensées – pourquoi pas ? – ou si nous choisissons autre chose. Choisir, par exemple, de rester assis, les yeux fermés, à respirer, ici et maintenant, dans le flot des pensées qui nous disent « bouge », « fais », « pense », « remue ». Et qui s'énervent, et qui montent le ton : « Avec toutes les choses urgentes que tu as à faire, tu ne crois pas que tu pourrais quitter cet exercice ? Tu y reviendras plus tard… » Mais non, on a décidé de ne pas obéir à ces pensées. On attend un peu, on veut juste voir si c'est vraiment nécessaire d'aller dans ces directions, si c'est vraiment important. On respire encore quelques minutes, et l'étau se desserre. Comme c'est agréable de ne plus être un esclave du mental, comme on est content de retrouver un tout petit peu de liberté…

Se libérer de ses pensées

«Je pense donc je suis», proclamait Descartes. Paul Valéry ajoutait: «Parfois je pense; et parfois je suis.» Et la pleine conscience conclut: «Je ne suis pas seulement ce que je pense.» Avec les deux sens: «je suis» au sens d'«aller derrière», et «je suis» au sens d'«être». C'est ce qu'on appelle la «défusion» dans les psychothérapies cognitives: s'efforcer de diminuer la confusion entre mes pensées et ma conscience. Comprendre que mes pensées ne sont qu'un des éléments de ma conscience, et non ma conscience tout entière. Ne plus dépendre de mes pensées, sans pour autant les refuser: simplement entrer dans une relation différente avec elles.

Ce n'est pas la même chose de se dire «ma vie est triste» et «je suis en train de penser que ma vie est triste». En identifiant mes pensées comme des phénomènes de l'esprit, je verrai mieux que, dans ces dernières, se nichent beaucoup de jugements de valeur, d'automatismes, d'impulsions, avec lesquels je n'ai pas forcément à être d'accord. Cette expérience un peu étrange de se dissocier de son propre mental, cet effort de se servir de son esprit pour ne plus être piégé par lui, c'est ce que propose la pleine conscience. Elle m'apprend à ouvrir un espace de réflexion, à cultiver une expérience de mise à distance et d'observation. Elle m'aide à faire la différence, comme au cours d'une soirée, entre le bruit de fond et la conversation qui m'intéresse. Ou à choisir finalement de sortir, de quitter le tumulte et d'aller écouter la rumeur la nuit…

Leçon 5

Fermer les yeux et placer son souffle au centre de l'attention. Puis noter comment, très vite, l'esprit s'en va, ou plutôt comment nos pensées se replacent au centre de notre attention, comme des enfants capricieux. Pensées sur des choses à faire, pensées sur notre difficulté à rester dans l'exercice. Nous y sommes : le travail de la pleine conscience sur les pensées consiste simplement à prendre conscience du bavardage irrépressible de l'esprit. Et conscience de son pouvoir d'attraction : à un moment, nous n'observerons plus nos pensées, mais nous serons dedans, embarqués. Alors, revenir tranquillement au souffle, puis à l'observation des pensées. Peu à peu, la différence entre « penser quelque chose » et « s'apercevoir que l'on pense quelque chose » deviendra une évidence. C'est ce qu'on appelle la lucidité, et ça nécessite un travail régulier.

La Mélancolie, Lucas Cranach l'Ancien (*1472-1553*)
1528, huile sur bois, 1,13 x 1,72 m, collection particulière

DONNER
UN ESPACE
À SES ÉMOTIONS

C'est un mélange d'ordre et de désordre, insolite, indéchiffrable, qui met discrètement mal à l'aise. On ne saisit pas bien ce que le peintre veut nous dire. Puis, au bout d'un moment, on ne comprend pas mieux, mais au moins on commence à percevoir l'organisation du tableau.

À gauche, c'est le tumulte. Un tumulte surnaturel en haut, où déboule une cavalerie d'esprits ou de fantômes, portés par une nuée. Un tumulte ordinaire en bas, où se déroule une empoignade entre des enfants nus et un lévrier ; ce dernier est agacé d'être maltraité et se retourne pour les menacer, leur montrer les dents, oreilles en arrière, semblant leur dire : « Si vous continuez, je vous mords. »

À droite, c'est plus calme, mais pas forcément plus clair : un pommier présente ses fruits dorés, un château domine un rocher escarpé, une femme, quelques outils à ses pieds, taille une fine baguette de bois, comme pour passer le temps. Son visage est distant, las, un rien méprisant, et elle semble surveiller de loin la bagarre des enfants et du chien.

Il y a, dans cette *Mélancolie* de Cranach, du réel et de l'irréel, de la tension et du calme, de l'action et de l'ennui. Des choses que l'on comprend, à peu près, et d'autres qui nous échappent et nous dépassent. Et dont on pressent que cela nous échappera et nous dépassera toujours.

Mais n'est-ce pas souvent comme cela que se présente à nous notre propre expérience émotionnelle ?

« Tout repose sur quelques idées
qui se font craindre
et qu'on ne peut regarder en face. »

PAUL VALÉRY, TEL QUEL

L'expérience émotionnelle

Nos émotions ne parlent pas, mais elles s'expriment. Par des sensations corporelles, des comportements, des pensées automatiques, radicales et simplifiées.

Et de même, pour les calmer et les apaiser, les mots ne suffisent pas, en général. Il faudra passer par le corps (respirer), les comportements (marcher si on est triste ou inquiet, s'allonger si on est en colère). Il s'agit d'une des démarches les plus difficiles de la vie psychique : prendre de la distance envers des pensées chargées, saturées d'émotions, qu'on ne peut guère empêcher ou expulser. On pense aujourd'hui que cette nécessaire distance, il est plus facile de la mettre en place en accueillant et en observant nos états émotionnels plutôt qu'en s'acharnant à les supprimer. Et plutôt, bien évidemment, qu'en leur obéissant. L'expérience de nos oscillations émotionnelles est donc une épreuve d'humilité et de réalisme : elles sont souvent, du moins au départ, plus puissantes que nous. De manière franche, dans le cas des émotions fortes, ou de manière indirecte, dans le cas des humeurs et états d'âme, leurs formes subtiles. La Rochefoucauld notait ainsi : « Les humeurs ont un cours qui tourne imperceptiblement notre volonté ; elles roulent ensemble et exercent successivement un empire secret en nous, de sorte qu'elles ont une part considérable à toutes nos actions, sans que nous le puissions connaître. »

Le désordre émotionnel

L'expérience de ce que nous éprouvons émotionnellement n'est ni toujours agréable, ni toujours déchiffrable. Certes, le désordre des émotions peut parfois être fécond, mais il peut aussi conduire à la plus grande confusion.

Alors, nous pouvons éprouver la tentation de la fuite, dans l'action ou la distraction. Il y a aussi la tentation de l'hypercontrôle : interdire aux émotions douloureuses d'être là, s'interdire de les ressentir. Ce qui est logique mais problématique : en procédant ainsi, en essayant de nous couper de nos sensations et de nos ressentis, nous nous exposons à ce que les neurologues appellent une « désafférentation », et donc à une amputation de notre intelligence émotionnelle. J'ai souvent vu des patients hypersensibles avoir opéré depuis des années une sorte de glaciation de leurs mouvements émotionnels, trop pénibles pour eux; cela me fait penser au *permafrost*, cette couche de terre toujours gelée, sous la glace, et sur laquelle rien ne peut évidemment pousser. Existences et sensibilités appauvries par l'excès de protection...

La clarté émotionnelle : accepter de ressentir

La pleine conscience va à l'encontre de notre tendance naturelle à retenir l'agréable et à repousser le désagréable. C'est pour cela que les séances et les exercices ne sont pas toujours des moments confortables (encore une différence avec la relaxation).

Dans la pleine conscience, on accueille les ressentis émotionnels négatifs ou douloureux, on leur permet simplement d'être là. Ainsi, plutôt que de vouloir chasser sa tristesse ou résoudre son inquiétude, on commence d'abord par accepter leur présence. Ce qui ne signifie pas accepter leurs messages et leurs injonctions : permettre à sa tristesse ou à l'inquiétude d'être là, c'est constater que nous sommes tristes mais pas forcément croire tout ce que nous chuchote la tristesse («Cette vie ne vaut guère la peine, à quoi bon agir?») ou l'inquiétude («Il y a un danger, tu dois vite agir et trouver des solutions»).

Les patients anxieux ou déprimés n'aiment pas qu'on leur dise de commencer par permettre à leurs affects d'être là. Ça les scandalise un peu : «J'ai toujours essayé de faire le contraire, de ne pas souffrir.» Et ça leur fait peur : «Si j'ouvre les vannes, si je baisse la garde, je vais me faire engloutir par la souffrance.»

Dans la pleine conscience,
on accueille les ressentis émotionnels
négatifs ou douloureux, on leur permet
simplement d'être là.

Mais non, rassurez-vous, ça ne se passera pas ainsi. Nos émotions négatives sont comme des animaux (ou des humains) que l'on voudrait calmer : plus on se jette sur elles pour les repousser, les ligoter ou les enfermer, plus elles se débattent et peuvent nous faire mal.

Nous avons plutôt intérêt à créer un espace autour d'elles pour leur permettre d'exister. Et pour nous permettre alors de les observer : dans quel état mettent-elles mon corps ? Quelles pensées induisent-elles ? Vers quoi me poussent-elles ? Ainsi, on n'est pas dans l'émotion, mais dans l'expérience de l'émotion : accueillir pour moins subir. Cela pourra parfois suffire à nous apaiser, et nous permettre alors de décider que faire.

Les émotions sont les moteurs des pensées négatives, ce sont elles qui leur donnent toute leur force, les solidifient. Accepter mes émotions, c'est désamorcer leur pouvoir sur les pensées qu'elles poussent devant elles pour avancer masquées. Je pourrai plus facilement réfléchir à mes pensées de colère si j'ai reconnu et accepté ma colère ; plus facilement réfléchir à mes inquiétudes si j'ai reconnu et accepté mon angoisse. Alors que, si j'en reste à « mais non, je ne suis pas en colère, c'est ce qui se passe qui n'est pas acceptable » ou à « mais non, je ne suis pas inquiet, c'est la réalité qui est menaçante », ce travail sur les pensées ne se fera pas. Puisqu'elles sont, pour mon esprit, non pas pensées mais réalités et évidences. Qui serait assez fou pour contester la réalité et l'évidence ?

Prendre le temps de ressentir

Alors, nous allons devoir travailler sur nos émotions. Non pour les empêcher, mais pour les observer. Par exemple, plusieurs fois dans la journée, entre deux activités, au lieu de passer de l'une à l'autre, stressés et pressés : prendre le temps de ressentir ce qui se passe en nous, se connecter doucement à notre état émotionnel. Ou bien lors des moments d'attente : en profiter pour prendre conscience de soi. Au lieu de vivre ces instants en pleine inconscience, mentalement absents, coupés de nous-mêmes, l'esprit ailleurs car tourné vers des actions ou des ruminations.

D'abord au calme et au repos, donc, cette habitude de l'introspection tranquille et curieuse. Puis, lorsque nous sommes douloureux : tristes, énervés, inquiets, malheureux… Ne pas chercher alors à modifier ce que nous ressentons, ne pas chercher à nous consoler ou à nous calmer. Pas tout de suite. Juste nous rendre présents à ce que nous éprouvons. Bien respirer, ne rien « vouloir » d'autre que s'attacher à respirer en observant ce qui se passe. La respiration, la présence, la pleine conscience, c'est un peu comme une lampe dans les ténèbres : nous pouvons voir où nous sommes, même si c'est toujours la nuit. Et parfois, ce sera étonnant ; en acceptant nos

émotions douloureuses, en consentant à les traverser, nous découvrirons que cela se passe comme lorsqu'on traverse un nuage : finalement, il n'y avait rien dedans de bien solide. Et à la sortie, le soleil brillera à nouveau…

La pleine conscience des émotions

Nos émotions, même désagréables, ne sont pas les «mauvaises herbes» de notre esprit. Elles font partie de notre écologie psychique. Commencer par les accepter n'est possible et viable que si, par ailleurs, nous sommes conscients d'elles et de leurs mécanismes d'influence, puissants ou subtils. Les émotions tendent naturellement à s'imposer à nous ; c'est sur leur influence que nous devons agir, pas sur leur présence. D'ailleurs, le but de ce que l'on nomme en psychologie la «régulation émotionnelle» n'est pas le vide, le zen ou le calme. En tout cas, pas tout de suite, ou pas directement. Le but, c'est la conscience, la clarté.

Il y a ainsi dans la pleine conscience deux «compétences» fondamentales pour progresser sur la voie de l'équilibre émotionnel : la première consiste à créer un espace intérieur pour permettre l'expérience de l'instant présent ; la seconde, à accueillir cette expérience telle qu'elle est, à la laisser exister. Pour dépasser une souffrance ou un inconfort, il faut d'abord avoir admis qu'ils existent en nous. On ne peut quitter un endroit où l'on n'a jamais accepté d'arriver : et on ne peut se libérer d'une souffrance qu'on n'a jamais accepté de reconnaître…

C'est seulement comme ça que, dans les moments de détresse émotionnelle, nous pourrons écouter et croire nos propres paroles de réconfort : se dire que ce n'est pas grave, que ça va passer, etc. Cela ne *marche* que si nous avons d'abord pleinement accepté le problème, pas si nous sommes encore en train de refuser son existence (« Ce n'est pas possible, ce n'est pas juste »). Les graines de la sérénité ne poussent que sur une terre de lucidité, pas sur le déni ou le mensonge à soi-même. Pour que des paroles apaisantes soient réellement des paroles apaisantes, il faut prendre le temps de les accueillir, de les écouter, de les ressentir, de les éprouver. De les faire vivre en soi. Comme nous l'avons fait précédemment pour les émotions douloureuses. Car il n'est pas interdit, bien sûr, de donner aussi de l'espace à ses émotions agréables…

Leçon 6

Lorsque je suis troublé, contrarié, inquiet, surtout ne pas passer à autre chose pour m'en libérer, me soulager.
Au contraire, si j'en ai le temps, observer ce qui se passe en moi. Quelle est cette émotion qui m'habite ? Vers quoi me pousse-t-elle ? Cela semble très simple, mais évidemment ça ne l'est pas : comme pour nos pensées, nos émotions s'imposent à nous, c'est-à-dire qu'elles ne se présentent pas comme des phénomènes subjectifs, mais comme l'évidence, la réalité non discutable. Alors, ne pas chercher à modifier ce que je ressens, ne pas chercher à me consoler ou à me calmer. Juste me rendre présent. Bien respirer alors, ne rien « vouloir » d'autre que m'attacher à respirer en observant ce qui se passe en moi.

DÉPLOYER SON ATTENTION
POUR ACCROÎTRE SA CONSCIENCE

A u début, tout semble simple : le tableau, divisé en deux parties, montre à droite un magicien de rues, et à gauche un public qui l'observe. Une table les sépare. Puis on entre dans les détails : on s'amuse de l'air bonasse du magicien, avec son drôle de chapeau. On découvre la petite chouette, symbole de rouerie et de duplicité, qu'il cache discrètement dans le panier qu'il tient de sa main gauche, pendant que, de sa droite, il montre une boule sans doute réapparue de dessous l'un des bols renversés sur la table. On remarque la grande taille de l'homme fasciné qui se penche sur la table. Et on s'aperçoit qu'il est en train de se faire dépouiller de sa bourse par un voleur qui regarde bizarrement en l'air, comme pour détourner l'attention. On s'interroge : le voleur est-il complice du bateleur ? Ainsi que la femme élégamment vêtue de rouge, qui est montrée du doigt ?

L'Escamoteur, Gielis Panhedel / Hieronymus Bosch Van Aken,
dit Jérôme Bosch(attribué à) (*1450-1516*)

Fin XVᵉ-début XVIᵉ siècle, huile sur bois, 0,53 x 0,65 m, Musée municipal, Saint-Germain-en-Laye

Alors, on prête attention à des détails bizarres : l'homme détroussé est en train de baver. Les autres personnages regardent presque tous dans des directions différentes : les uns la table, les autres le magicien ou le grand personnage incliné, d'autres encore ferment les yeux. Et puis ce dernier spectateur oublié : un petit crapaud placide, juché sur la table, qui regarde le tour du magicien avec une attention soutenue.

Comme toujours chez Bosch, les symboles abondent, et les significations de cet étrange tableau sont multiples. Mais une chose nous importe ici : ce chef-d'œuvre nous parle – aussi – de l'attention et de la conscience. Du trop et du trop peu d'attention, qui parfois se ressemblent en ce qu'ils rétrécissent ou affaiblissent notre conscience ; et nous exposent à bien des ennuis.

> « Maintiens ton corps immobile ;
> Garde le silence ;
> Ne bride pas tes pensées, laisse-les venir,
> Et laisse ta conscience se relâcher
> Dans un état d'aise parfaite.
> Parvenu à ce point, l'attachement à la méditation
> Et à la non-méditation s'efface ;
> L'esprit, libre de toute construction mentale,
> n'est plus que conscience claire,
> vaste et transparente. »

SHABKAR, MÉMOIRES D'UN YOGI TIBÉTAIN

La conscience

On pourrait définir la conscience ainsi : à la fois ressentir et percevoir, et savoir que l'on ressent et que l'on perçoit. La conscience suppose l'éveil : ainsi, un dormeur ressent et perçoit, mais ne le sait pas, il est inconscient. La conscience est sans doute la fonction la plus délicate et compliquée de notre esprit, et des milliers de recherches scientifiques ont été conduites à son propos. Mais ce dont nous avons besoin ici, c'est d'un modèle de compréhension qui soit à la fois ni trop faux ni trop compliqué. Pour simplifier, nous dirons qu'il existe trois niveaux de conscience.

Le premier est celui de la conscience primaire, qui est l'ensemble de nos impressions et de nos sensations. Elle est une sorte de conscience animale et préverbale, qui nous aide à nous adapter au monde environnant. Par exemple, c'est cette conscience qui fait que, tout en lisant ces lignes, vous percevez aussi votre corps, les sons qui vous arrivent, les mouvements autour de vous, etc.

Le deuxième niveau est celui de la conscience identitaire, où émerge la notion de « soi » comme résultante de ces impressions. C'est la conscience qui nous aide à faire la synthèse de ce que nous vivons, et à réaliser que toutes ces sensations nous appartiennent. Nous nous habituons, bien sûr, à cette « évidence », nous l'oublions, et parfois, en passant devant un miroir ou en entendant quelqu'un prononcer notre prénom, nous réalisons soudain que nous sommes « nous », et nous sommes saisis d'un discret vertige identitaire : « Comment ? C'est moi, ce visage, cette personne que l'on nomme ? »

Le troisième niveau est celui de la conscience réflexive, capable de recul par rapport à ce «soi» et notamment d'en observer les mécanismes. C'est la conscience qui nous aide à comprendre et à réfléchir: celle qui nous amène à réaliser que nous avons été trop égoïstes, ou que nous sommes en train de nous énerver ou de nous angoisser.

Et la «pleine conscience»? Où se situe-t-elle dans tout ça? Disons que sa pratique intègre pleinement ces trois niveaux: celui de la conscience primaire, auquel elle accorde une importance extrême puisqu'il permet une forme de compréhension et de pacification des phénomènes corporels et émotionnels; celui de la conscience identitaire, point de départ de l'observation de nos enchaînements de pensées; et celui de la conscience réflexive, qui permet à notre esprit de se dissocier et de se libérer de ses automatismes mentaux.

L'attention

«L'attention est la prise de possession par l'esprit, sous une forme claire et vive, d'un objet ou d'une suite de pensées parmi plusieurs qui semblent possibles [...] Elle implique le retrait de certains objets afin de traiter plus efficacement les autres», explique William James, l'un des fondateurs de la psychologie moderne, qui étudia très tôt la conscience et l'attention.

L'attention est l'outil de base de la conscience: pas d'attention, pas de conscience. C'est sans doute pour cela que la phrase que prononcent le plus souvent les instructeurs de méditation est: «Maintenant, portez doucement votre attention sur...» Mais attention et conscience sont deux entités différentes. Dans l'attention, on écarte (ce qui ne nous intéresse pas), alors que, dans la conscience, on accueille. L'attention procède par exclusion, la conscience par inclusion. C'est, par exemple, le problème avec l'anxiété ou la dépression, qui sont, d'une certaine manière, des troubles de l'attention : on ne fait attention qu'à nos sources de soucis, et on écarte le reste. Ce sera aussi une solution possible que de faire appel à la pleine conscience pour soigner cette attention malade : élargir le champ de notre attention dans les moments où nous nous sentons tristes ou inquiets.

La qualité de l'attention

Mais revenons à l'attention, et à ses rapports avec la conscience. Nous pouvons difficilement agir de manière directe sur notre conscience. Nous devrons, en général, apprendre pour cela à moduler notre attention. Ce travail peut s'effectuer dans deux directions.

La première concerne l'ouverture attentionnelle : l'attention peut ainsi être focalisée (étroite) ou ouverte (large). Dans l'attention focalisée, on dirige un faisceau attentionnel étroit, par exemple sur une action (être concentré sur ce qu'on fait), un spectacle (être absorbé par ce qu'on voit ou entend), ou des pensées (« partir » dans ses réflexions ou ses ruminations). L'attention ouverte, à l'inverse, tend à s'élargir, à se détacher de ses objets initiaux, à se libérer doucement de l'identification aux pensées ou aux ressentis. Et à inclure d'autres objets. C'est ce qui se passe lorsque, tout en observant ce qu'on ressent dans son corps, on inclut aussi, par strates successives, les sons, les pensées, les émotions dans notre expérience de l'instant présent. Cette attention plus largement ouverte tend naturellement vers ce qu'on pourrait aussi appeler une « conscience attentive », et qui se rapproche fortement de la pleine conscience.

Mais il y a encore autre chose dans la pleine conscience. La seconde direction de travail possible porte en effet non plus sur l'*ouverture* mais sur la *qualité* de notre attention : « analytique » ou « immergée ». L'attention analytique, c'est celle que nous mobilisons lorsque nous nous concentrons sur la résolution d'un problème ardu, mathématique ou existentiel. Notre intelligence fonctionne alors à plein, nos pensées s'enchaînent, notre raisonnement avance, et nous analysons dans le détail les tenants et les aboutissants du problème. L'attention immergée, elle, se situe à un autre niveau : elle nous fait oublier que nous sommes en train de réfléchir ou d'agir. L'attention immergée peut concerner des activités simples : être absorbé par un film passionnant, ou par le rythme de sa foulée lors d'un jogging. Mais elle concerne aussi des tâches plus complexes : descendre une pente à ski, jouer d'un instrument de musique, ou s'absorber dans une tâche intellectuelle. Dans toutes ces situations, nous sommes pleinement attentifs à ce que nous faisons (sinon nous tomberions, ferions une fausse note ou serions sans arrêt distraits de notre réflexion). Mais nous le sommes dans un état d'attention dite « immergée » : nous sommes si intensément présents à ce que nous faisons que nous sommes complètement « dedans », sans besoin de mentaliser ou d'analyser ce qui se passe.

Plus notre attention est élargie et immergée, plus nous nous rapprochons de la pleine conscience : une présence intense et ouverte, pas seulement mentale mais globale (incluant notre corps tout entier), à l'expérience que nous vivons instant après instant.

Travailler l'attention pour préserver la conscience

En matière de vie de l'esprit, les choses ne se font pas seulement parce que nous en avons envie ou parce que nous l'avons décidé. Il en est ainsi pour l'attention.

Le travail sur l'attention est une nécessité repérée depuis longtemps, en Orient comme en Occident. Écoutons à nouveau William James : « La faculté de ramener volontairement une attention qui s'éparpille

tout le temps constitue la racine même du jugement, du caractère et de la volonté. Nul n'est une personne entière qui ne la possède. […] Mais il est plus facile de définir cet idéal que de donner des indications pratiques pour l'engendrer. »

Ces capacités attentionnelles sont effectivement à la base de notre efficacité mentale comme de notre bien-être. Et ce d'autant plus que nos modes de vie contemporains tendent à les affaiblir et à les appauvrir : nous évoluons de plus en plus dans des environnements « psychotoxiques », qui fragmentent notre attention en lui imposant de nombreuses interruptions (cela va des publicités radio ou télé aux flots continus d'e-mails ou SMS), en lui proposant des sollicitations mobilisantes et accrocheuses (on a ainsi montré l'augmentation vertigineuse, au cinéma comme à la télévision, du nombre de plans à la minute). Le problème, c'est que notre mental tend déjà vers ça, vers la distraction et la dispersion. Notre esprit est attiré par le bruyant et le facile, comme notre goût est attiré par le sucré ou le salé.

Ce type d'environnements (et notre absence d'effort pour les contrebalancer) fait que notre attention a alors tendance à toujours fonctionner sur un registre attentionnel serré et étroit. Elle prend l'habitude de rester focalisée et de ne faire que sauter d'un objet à l'autre : d'un souci à un autre, d'une distraction à une autre, etc. On soupçonne aujourd'hui ce fonctionnement de l'attention, trop souvent basé sur un mode étroit et analytique, d'être à la base des ruminations qui alimentent les états anxieux et dépressifs.

D'où l'intérêt, plus que jamais, d'un travail sur les capacités attentionnelles, pour les protéger ou les restaurer. La pratique de la méditation peut, de ce point de vue, être considérée comme une forme d'entraînement attentionnel. Pour que plus jamais ne nous soit dérobée notre conscience…

Leçon 7

Le travail sur l'attention est au cœur de la pratique de la pleine conscience. Asseyez-vous, centrez-vous sur le souffle. Et voyez comme votre esprit part ailleurs. Alors, revenez sur le souffle. Une fois, dix fois, des centaines de fois. Des centaines de pas vous ont appris autrefois à marcher ; des centaines de pas continuent chaque jour de maintenir en vous cette capacité à la marche. Il en est de même de vos capacités d'attention : si vous vivez dans la dispersion et vous contentez de répondre aux sollicitations, d'aller là où ça clignote et où ça sonne, elles seront indigentes. Les exercices de pleine conscience, et surtout les centaines de «sorties d'exercice» et les centaines de «retours à l'instant présent», représentent un entraînement mental exceptionnel. Pratiquez, pratiquez. Sinon, ne vous étonnez plus que votre esprit vous joue des tours...

N'ÊTRE QU'UNE
PRÉSENCE

C'est un incroyable tableau sonore : mais ce qui résonne dans celui-ci, c'est le silence, comme dans tous les tableaux de La Tour. Aucune parole, aucun mouvement, aucun bruit, ni dans cette pièce, ni alentour ; nous sommes au plus profond de la nuit. Un seul dialogue, celui de l'ombre et de la lumière, de la flamme et de son reflet. La chandelle comme métaphore de la fragilité de toute vie humaine. Le reflet comme conscience de cette fragilité. Tous deux, chandelle et reflet, entourés de ténèbres. Si l'on pince la flamme entre les doigts, ténèbres partout...

Les objets alentour, immobiles dans la pénombre, sont comme orphelins. Le miroir, dans lequel personne ne se regarde, où seule la flamme de la bougie se reflète. Le collier, abandonné, souvenir du passé de prostituée de Madeleine. Le crâne, qui nous rappelle les vanités et leur message radical : memento mori. Souviens-toi que tu vas mourir.

La Madeleine pénitente, dite Madeleine Wrightsman,
Georges de La Tour (*1593-1652*)
Vers 1638 - 1643, huile sur toile, 1,334 x 1,022 m, Metropolitan Museum of Art, New York

Mais n'aie pas peur de la mort. Souviens-toi que la vie ici-bas est courte, fragile et vaine. Souviens-toi que ce n'est pas en elle que résident l'important et l'essentiel. Mais songe aussi à ceci : il y a une autre manière de vivre. En prenant conscience. Ce que fait Madeleine. Longs cheveux, robe rouge rabattue, chemise blanche dépouillée de toute dentelle, de tout ornement. Comme celle d'un condamné ? Comme celle de quelqu'un qui se libère, du passé et des péchés. Pour aller où ? Pour faire quoi ? Plus tard, plus tard... Pour l'instant, dépouillement, apaisement, intensité de l'instant présent. Madeleine a posé ses mains sur le crâne. Son visage se détourne du spectateur, se détourne du monde. Que regarde-t-elle ? Le miroir ? La bougie ? Non. Madeleine ne regarde rien, ses yeux sont plongés dans le vide et le néant du mur, au-dessus du miroir.

« J'ai cessé de croire aux "grands événements"
qui s'accompagnent de hurlements et de fumée.
Et crois-moi, je te prie, cher vacarme d'enfer,
les plus grands événements, ce ne sont pas
nos heures les plus bruyantes, mais les heures
du plus grand silence. »

NIETZSCHE, AINSI PARLAIT ZARATHOUSTRA

Recueillement

Il y a, dans la pleine conscience, la nécessité de se recueillir. Se recueillir, c'est se recentrer, se réhabiter, reprendre contact avec soi-même, là où précisément beaucoup de nos actes et de nos environnements nous coupent de nous-mêmes. Ou du moins nous accaparent, et écartent de notre esprit ces moments où l'on se sent exister, où l'on se sent « être », parce qu'on s'est arrêté de « faire ».

Certains environnements facilitent ces moments de recueillement. Les églises ou les lieux de prière, par exemple. Il m'arrive, lorsque je suis en avance à certains rendez-vous, de prendre un peu de temps pour aller méditer dans une église voisine ; non pas « loin » mais « à côté de » la trépidation de la ville, de sa charge de surstimulations. La nature aussi est, bien sûr, favorable au recueillement, et c'est sans doute l'un des mécanismes qui font que sa fréquentation est favorable à notre santé, comme le montrent de plus en plus d'études : le contact avec la nature nous expose à un environnement où nous trouvons calme, lenteur et continuité, ces « nourritures » de notre esprit qui facilitent la pleine conscience.

Mais on peut aussi se recueillir dans le tumulte de la vie, décider de s'arrêter, de prendre un instant de recul dans l'action. Par contraste, ces instants volés à la bousculade peuvent parfois être très forts : on y a le sentiment, tout à coup, de plus d'espace intérieur, parfois de plus de clarté intellectuelle, au-delà du soulagement émotionnel. Comme un promeneur surpris par une énorme averse qui s'est réfugié sous un porche : si, au lieu de pester contre

Se recueillir, c'est se recentrer,
se réhabiter, reprendre contact
avec soi-même, là où précisément
beaucoup de nos actes et de nos
environnements nous coupent
de nous-mêmes.

l'orage, il tourne sa conscience vers l'instant présent,
s'il considère cet empêchement comme un répit, une
parenthèse, alors il aura vécu et éprouvé quelque chose
d'utile et de profondément sain, au sens d'utile à sa santé.

Le recueillement a aussi sa place avant l'action :
au moment de commencer une tâche, rester debout
quelques instants, se sentir respirer avant de s'asseoir à
son bureau, se connecter, sans mots ni intentions précises,
au sens profond de son travail ; avant de rentrer chez soi
le soir, d'aller voir un ami, de recevoir un malade si l'on
est un soignant. Il y avait autrefois de tels instants : le
bénédicité avant de rompre le pain, la prière du soir. Où
sont passées ces parenthèses de recueillement dans nos
vies modernes ? Certainement pas dans la télévision ou la
radio qu'on allume en rentrant chez soi, ni dans les écrans
qui nous asservissent à chaque instant. Plus encore que
des moyens de « se changer les idées », ces gestes, surtout
lorsqu'ils sont devenus des automatismes, représentent
des déracinements de notre esprit, à l'opposé exact de
l'idée même de recueillement.

Je me souviens d'un patient qui apprenait la pleine conscience, et m'avait raconté avec un étonnement jubilatoire comment il accomplissait l'exercice, en montant dans sa voiture tous les matins, de ne plus automatiquement allumer l'autoradio, mais au contraire de poser ses mains sur le volant, de respirer et de prendre conscience de ce qu'il ressentait. Et comment ces petits instants, ajoutés à bien d'autres dans la journée, avaient fait doucement reculer son anxiété.

Je me souviens aussi de cet étrange passage, sans doute autobiographique, du livre de Pascal Quignard, *Les Ombres errantes* : « Pourquoi un jour d'avril 1994 alors qu'il faisait beau, alors que le soleil éblouissait, alors que je sortais du Louvre, ai-je soudain hâté le pas ? Un homme qui hâte le pas traverse la Seine, il regarde sous les arches du Pont Royal l'eau entièrement couverte d'une étincelante blancheur, il voit le ciel bleu tout au-dessus de la rue de Beaune, il pousse en courant une grosse porte en bois rue Sébastien Bottin, il démissionne d'un coup de toutes les fonctions qu'il exerce. On ne peut pas être à la fois un gardien de prison et un homme évadé. » Vivre conscient n'est pas sans risques, et le recueillement pousse vite au désir de dépouillement, non pour s'appauvrir mais pour s'alléger.

Dépouillement

La deuxième nécessité de la pleine conscience est celle du dépouillement. Nous ne sommes pas obligés de nous dépouiller de notre passé ou de nos vêtements, comme Madeleine, mais de certaines de nos attitudes psychologiques : un pas important dans cette direction

va consister à s'alléger de ses automatismes de pensée, et notamment de ses attentes et de ses jugements. Il y a ainsi quatre attitudes mentales importantes dans la pleine conscience : ne pas juger, ne pas filtrer, ne pas s'agripper, et ne rien attendre. Quatre attitudes à cultiver lors des exercices de méditation, et quatre renoncements dans leur sillage.

Renoncer à juger : par exemple, ne pas juger si l'exercice de méditation est réussi ou manqué. Difficile ? C'est vrai et d'ailleurs, « ne pas juger », c'est plutôt ne pas céder aux jugements qui arrivent forcément à notre esprit, ne pas leur abandonner le pouvoir, ne pas s'arrêter à eux, ne pas leur laisser toute la place.

Renoncer à filtrer : nous l'avons vu, il s'agira bien souvent de permettre aux sensations corporelles, pensées ou émotions, même désagréables, d'être là. Exemple : renoncer à l'espoir qu'aucun bruit n'arrive à nos oreilles lorsque nous méditons. Accepter les inconforts. Mais aussi, bien sûr, accueillir le bon et l'agréable. Ni masochisme ni hédonisme. Juste une conscience ouverte et curieuse, qui accueille tout mais va où elle veut.

Renoncer à s'agripper : par exemple ne pas s'accrocher à l'agréable, ce qui est souvent un automatisme de base. Ne plus vouloir à tout prix rester dans un état de bien-être atteint grâce à l'attention prêtée à ses mouvements respiratoires. Pourquoi cette attitude ? Ce n'est pas souhaiter que cela s'interrompe, c'est s'entraîner à ne plus s'en inquiéter : s'affranchir du « pourvu que ça dure », se libérer de nos angoisses – naturelles – gravitant autour de la perte de ce qui est agréable. Car ce qui est agréable, mieux vaut le savourer, en pleine conscience, que s'inquiéter de sa disparition future. C'est «l'inquiétude du bonheur» que tant d'anxieux et de déprimés ont du mal à surmonter.

Renoncer à attendre: c'est, sans doute, pour le débutant, l'aspect le plus déconcertant de la formation à la méditation de plcine conscience. Ne rien attendre, ne pas espérer que la séance soit source d'éclaircissements ou d'apaisements. Je me souviens encore de mes propres réticences: «Me dépouiller de mes attentes?! Mais sans attentes, sans buts, on ne va nulle part!» Justement, ça tombe bien: dans la pleine conscience, on ne cherche à aller nulle part que là où on se trouve déjà…

Sincérité

Ce dernier renoncement est le plus difficile, et ne doit pas être une ruse que nous nous faisons à nous-mêmes (faire semblant de ne rien attendre alors qu'on attend dans le secret de son cœur), ni une attitude masochiste (se désintéresser du bien-être). Il s'agit simplement d'un détour. Ce que nous pouvions atteindre et construire par nos efforts et notre volonté, nous l'avons déjà atteint et construit. Par contre, beaucoup de choses, notamment dans le domaine émotionnel, ont résisté à nos efforts de contrôle et de volonté. Et nous allons essayer de nous désengager du «désir de résoudre» pour expérimenter autre chose: l'acceptation bienveillante de ce qui est là. Qui consiste à ne désirer rien d'autre qu'une pleine présence à l'instant. La pleine conscience, c'est toutes les fois où j'éprouve profondément que je suis déjà arrivé là où je voulais être: ici et maintenant.

Pure présence et attention sans objet

À force d'élargir tout doucement le champ de notre attention, à force de nous dépouiller de nos attentes et de nos filtres mentaux, notre conscience est devenue pleine conscience. Elle est devenue très vaste et sans objet. Une pure présence.

Une conscience sans objet ? C'est un concept qui oppose parfois théoriciens et praticiens. Pour les philosophes, par exemple, toute conscience est conscience de quelque chose. Cela suppose que la conscience soit un effort d'attention qui se concentre autour d'un objet. Mais, pour les méditants, une conscience sans objet est possible, ils en ont souvent fait l'expérience : c'est une conscience élargie, capable de tout héberger. Elle est comme un amour illimité de ce qui est. Voir ce qui est, et l'aimer, de son mieux. On parle aussi de conscience sans choix. C'est une attitude précieuse. Pas supérieure intrinsèquement à d'autres manières d'être ou d'agir. Pas non plus une acrobatie gratuite de l'esprit. Précieuse car inhabituelle, et probablement porteuse de très grandes vertus : de guérison, de liberté, de clairvoyance.

Chez la plupart d'entre nous, la conscience sans objet est souvent un moment transitoire plus qu'un état stable : on ne fait qu'effleurer la pure présence. Et l'on pressent qu'il y a peut-être autre chose encore au-delà. Révélation ou illusion ? Plaisir indicible…

Au début, ce seront des grâces tombées du ciel. Des perches tendues par le hasard, souvent. Des moments où tout sera parfait, sans que la moindre intervention de notre part ne soit nécessaire. Puis, peu à peu, nous apprendrons à les susciter, ces instants de pure présence dont la définition est si simple : « juste être là ». Et l'application si délicate, tant nous ne savons pas « juste être là » : intervenir et agir, orienter et influencer, tout cela nous démange, et le faire nous soulage. C'est à la fois la force immense de l'espèce humaine et son immense faiblesse. Mais par moments, nous saurons retenir notre geste. Nous nous dépouillerons de notre vie de surface, nous mettrons de côté passé et projets. Nous accéderons un instant à une immensité et une éternité transitoires, que nos actes et nos pensées nous cachaient. Tout sera bien et bouleversant. Un bouleversement calme.

Leçon 8

Inviter le recueillement dans nos journées. Traverser notre quotidien en ouvrant régulièrement notre esprit à ce que nous vivons : sortir des mots, des pensées, des objectifs, des actes, quitter le « faire » pour l'« être ». Se mettre à l'écart, lorsqu'il y a trop de tumulte autour de nous ou en nous, et se dépouiller de toute forme de volonté, ne plus rien vouloir, ne plus rien chercher : désengagement, donc, de toute forme de réflexion ou d'action, pour quelques instants. Ne plus faire qu'exister ici et maintenant. Prendre juste conscience que nous sommes là, vivants.

2.
VIVRE AVEC LES YEUX DE L'ESPRIT GRAND OUVERTS :
UNE PHILOSOPHIE DE VIE QUOTIDIENNE

« Je n'ai rien fait d'aujourd'hui.
– Quoi ? N'avez-vous pas vécu ?
C'est non seulement la fondamentale,
mais la plus illustre de vos occupations… »

MONTAIGNE, ESSAIS

VOIR L'ORDINAIRE

Tu passais, et tu t'es arrêté : il y avait quelque chose de particulier. La lumière, peut-être, à ce moment de la journée où viennent les ombres de la nuit et où les lueurs électriques créent lentement des îlots d'humanité dans la noirceur ? Ou bien la douceur de l'air ? Ou la masse sombre de la forêt alentour ?

Tu remarques ce détail, tout bête, du Pégase sur le panneau éclairé. Ce grand Pégase rouge avec ses trois petits frères, piaffant d'impatience de s'élancer dans le ciel, vers le néant de la nuit. Cette effigie de Pégase comme une ancre étrange à ton attention. Et te voilà présent à tout le reste de cet instant banal et ordinaire. Tu prends conscience des vapeurs d'essence, de la mélodie usée et gentiment débile qui sort d'une radio allumée quelque part dans la maison éclairée.

Ce ne sont ni la beauté ni la bizarrerie de cet instant qui te touchent et t'immobilisent corps et âme. Tu n'as pas besoin

Gas (Station-service), Edward Hopper (1882-1967)

1940, huile sur toile, 0,667 x 1,022 m, Museum of Modern Art, New York, Mrs Simon Guggenheim Fund.
Détails pages 115, 116 et 119.

de ça, beauté ou bizarrerie, pour arrêter le flot de tes pensées, de tes gestes et de tes projets. Tu t'es arrêté parce que cet instant est unique. Parce que tu ne reverras plus jamais exactement ce que tu vois. Parce que tu ne revivras plus jamais exactement ce que tu vis. C'est ça, tu as compris : tu t'es arrêté parce qu'a surgi à ta conscience l'essentiel. Tu es en train de vivre un bout de vie. Comment peux-tu oublier ça si souvent ? Oublier que vivre est une chance, oublier que chaque instant de vie est un miracle. Gagné sur la nuit, sur la mort, sur le néant. Comment peux-tu oublier ça ? N'oublie plus jamais de vivre. Maintenant, par exemple : relève la tête et regarde autour de toi avec les yeux d'un nouveau-né, comme si jamais encore tu n'avais vu ce que tu vois.

« N'oublie pas que tout esprit est façonné
par les expériences les plus banales.
Dire qu'un fait est banal, c'est dire
qu'il est de ceux qui ont le plus concouru
à la formation de tes idées essentielles. »

PAUL VALÉRY, MAUVAISES PENSÉES ET AUTRES

Allumer plus souvent l'interrupteur de sa conscience

Nous éveillons notre conscience face à ce qui est beau, imprévu, bouleversant. Mais le reste du temps, nous sommes le plus souvent des robots agissants et absents. Parfois, nous nous réveillons ; notre époque place ainsi dans nos vies des tas de panneaux indicateurs (« C'est par ici, par là ») : des publicités (« Maintenant, regardez ! Écoutez ! Savourez ! »), des moments bien cadrés où il « faut » s'émerveiller ou s'émouvoir (cinéma, théâtre, visites de musées). Certitudes balisées… Mais notre vie n'est pas une visite guidée ! À force de nous laisser ainsi manœuvrer, nous devenons des esprits creux, des âmes mortes ou léthargiques.

Aimer le normal, le banal. Les regarder, les respecter. Affûter notre esprit pour cela. S'ouvrir à la densité de la banalité : il n'existe pas d'environnement nécessaire ou indispensable à la pleine conscience. Il y a certes des environnements favorables, privilégiés et facilitants. Mais cela peut nous arriver partout. À condition de faire quelques efforts. À condition de rester des êtres éveillés et présents.

Ne plus *faire* mais *être*

Nous *faisons*, toujours nous *faisons*. Nous sautons d'une action à une autre. Et, même en agissant, nous ne sommes pas présents à ce que nous faisons : bien souvent, notre esprit est empli d'intentions ou de souvenirs d'autres actions encore.

Comme dans le tableau : combien de clients de la station-service sont passés à côté de ce qu'il montre ? Combien n'ont rien vu ? « Je demande le plein d'essence, je vais payer, je vais repartir, je vais penser à arriver à l'heure au motel, pas trop tard, je demanderai la même chambre que d'habitude, je rangerai mes affaires, je me brosserai les dents en pensant à ma journée de travail de demain, je réglerai mon réveil pour être debout à l'heure, puis je regarderai ce qu'il y a à la télé, et me dirai : "Pourvu que tu dormes bien, pour être en forme demain"…» Trop de journées où j'ai fait plein de choses, pensé à plein de choses. Mais où je n'ai même pas vécu, même pas existé ; même pas senti que j'existais. Robot.

Ce n'est pas mieux, dans l'absolu, d'être que de faire. Nous avons besoin des deux. Mais justement, nous avons *besoin des deux* : et le mode mental que notre vie oublie ou expulse le plus volontiers, en toute inconscience, c'est le mode *être*. Dans nos sociétés, le mode « par défaut » est le mode *faire*. Alors, la pleine conscience nous chuchote de sortir du *faire*, et de basculer – même un tout petit moment de rien du tout – dans l'*être*.

Juste être là : la vie comme un exercice de pleine conscience

La consigne est simple : intensifier sa présence à ces instants bénins. Les habiter par la conscience. Cesser d'être un spectre, sortir des limbes, de ce qui n'est pas la mort, bien sûr, mais qui est parfois une forme de non-vie : se rendre présent, c'est se rendre vivant, pour de vrai.

S'observer dans l'expérience. Là où l'on est, et pas seulement dans des conditions privilégiées. S'observer dans l'expérience de la vie ordinaire. Même de l'ennui, parfois. Par exemple, pendant les attentes et les transitions : en profiter pour sentir qu'on est là, et comment on y est. Ne plus *attendre* : être là ! Un jour, lors d'une de mes pérégrinations vers un congrès, j'attendais le train sur un quai de gare. Je l'attendais, vraiment : surveillant l'heure, observant l'horizon et me demandant s'il allait arriver par la droite ou par la gauche. Tout en sachant que le départ n'était prévu que dans dix minutes. Mais je me demandais si c'était un train qui venait d'ailleurs (il arriverait juste à l'heure) ou s'il partait d'ici (il serait à quai plus longtemps avant, et je pourrai y monter). Bref, l'esprit

Et j'ai tourné mon attention vers ma respiration, la façon dont je me tenais ; je me suis doucement redressé, j'ai ouvert mes épaules ; puis j'ai aussi ouvert mes oreilles, j'ai écouté.

complètement encombré de pensées inintéressantes et inutiles. Heureusement, je m'en suis rendu compte (ce n'est pas toujours le cas…). Je me suis vu tout à coup en train d'attendre mon train, comme un chien attend sa pâtée. Je me suis dit que, non, ce n'était pas possible de traverser ma vie comme ça ; même un petit bout de vie. Alors, j'ai songé à mes patients, aux exercices de présence au monde que nous pratiquons régulièrement. Et j'ai juste fait comme eux, juste fait ce que je leur demande de faire. J'ai abandonné le registre de l'action (ou plutôt de la trépignation, à ce moment où je ne faisais qu'attendre et surveiller l'arrivée ou le retard du train) et je suis passé sur le registre de la présence. J'ai laissé tomber la montre et l'horizon du bout des rails. Et j'ai tourné mon attention vers ma respiration, la façon dont je me tenais ; je me suis doucement redressé, j'ai ouvert mes épaules ; puis j'ai aussi ouvert mes oreilles, j'ai écouté les sons de la gare, les rumeurs, le bruit des roues sur les rails, les dialogues d'oiseaux ; j'ai observé la lumière de ce jour de printemps, les mouvements lents d'un train de marchandises là-bas, tout au bout des quais, les nuages, toutes les installations, les panneaux, les bâtiments au loin; j'ai reniflé cette odeur froide de métal qu'il y a souvent sur les quais de gare. Fantastique tout ce qu'il y avait à voir et à ressentir. Fantastique comme c'était intéressant et apaisant d'être intensément là, présent à ma vie de l'instant. Lorsque je suis monté dans le train, j'étais serein comme jamais. Je ne l'avais pas *attendu* une seconde. J'avais juste *vécu* ma vie, vécu des minutes nourrissantes.

Juste être là, conscient. Prendre conscience que l'on est vivant. Ne rien faire ? Si : vivre. Vivre en conscience. Touchés par le banal, bousculés par le normal. Éclairés par le bénin et l'ordinaire. Éblouis et ravis par la vie.

Leçon 9

Se rendre sensible et présent à ce que l'on ne regarde plus : tout ce qui est ordinaire et habituel, tout ce qui a cessé d'attirer notre attention. Se laisser toucher par le quotidien, au lieu de l'asservir ou de le piétiner sans le voir. Inviter le monde en nous et découvrir sa subtilité et sa diversité, au lieu de ne voir de lui que ce qui correspond à nos obsessions de l'instant. C'est facile, il n'y a que trois conditions : le vouloir (souhaiter évoluer dans le monde réel et non un monde virtuel, appauvri par l'étroitesse de notre attention), le permettre (avoir désencombré son esprit et élargi sa conscience) et le faire (relever la tête, ouvrir les yeux et regarder pour de vrai).

VOIR L'INVISIBLE

Ils nous parlent, ils murmurent à nos oreilles. Mais quoi ? Il faut d'abord s'arrêter pour les entendre, ces chuchotements. Puis essayer de les comprendre. S'arrêter, respirer et s'immerger dans la contemplation des objets qui composent cette nature morte.

« Nature morte », quel drôle de nom ! L'appellation anglaise *still life* – vie immobile –, et l'allemande, et la flamande, qui disent la même chose, sont bien plus proches de la réalité : ces peintures montrent une vie silencieuse, calme, apaisée. Qu'elles nous invitent et nous incitent à rejoindre. Dans ce monde en mouvement, dans ce monde utilitaire, la nature morte nous arrête : vie immobile, vie inutile. Inutile ? Parce qu'elle n'a rien à montrer que de l'ordinaire ? Mais justement : ce qu'elle nous montre, c'est l'ordinaire qu'on ne regarde jamais.

Verre d'eau et cafetière, Jean-Baptiste Chardin (*1699-1779*)

Vers 1761, huile sur toile, 0,325 x 0,413 m, Carnegie Museum of Art, Pittsburgh

Et si l'on regarde, on voit : de la simplicité en majesté. Une présence intense derrière l'immobilité. Si l'on regarde, on voit que, même ce qui ne clignote pas, ne bouge pas, ne scintille pas, ne fait pas de bruit, peut avoir de l'intérêt et de l'importance. Si l'on regarde, on voit qu'il y a de la beauté, de l'intelligence et même de la grâce dans le simple, l'accessible, le disponible.

Je me souviens d'une discussion, un jour, avec un moine zen qui me recommandait de toujours respecter l'inanimé. Mais qu'est-ce que l'inanimé ? C'est, me disait-il, « ce qui ne crie pas quand on le frappe ». Les choses, les objets, tous ces bouts de matière, qui ne crient pas, jamais. Mais qui parlent parfois…

« Cherche, parmi tous ces objets misérables et grossiers de la vie paysanne, celui, posé ou appuyé et n'attirant point l'œil, dont la forme insignifiante, dont la nature muette peut devenir la source de ce ravissement énigmatique, silencieux, sans limite. »

HUGO VON HOFMANNSTAHL, LETTRE DE LORD CHANDOS

Leçons des choses

Vivre en pleine conscience, c'est prendre le temps de contempler. D'être touché par les objets. Ceux que l'on croise chaque jour et que l'on oublie parce qu'à force de les voir, on ne les voit plus. Les laisser entrer en nous. Entrer en eux. Abolir les limites : être eux et les laisser nous prendre et nous fasciner, sans but.

Dans un recoin de la maison, s'abandonner à leur présence muette. Réaliser à quel point ces objets sont sources de calme, de lenteur, de pérennité. S'en rapprocher, s'en imprégner. Écouter comme ils nous murmurent de résister à l'activation (« Faire ! Faire ! ») et à l'accélération (« Vite ! Vite ! »), ces deux maux modernes. « Prends garde à la douceur des choses… », dit le poète Paul-Jean Toulet. Oui, car cette douceur peut nous entraîner bien loin. Mais plutôt que d'y prendre *garde*, prenons-en *soin* au contraire. Chérissons la douceur des choses : cette vie immobile va nous embarquer vers des voyages immobiles.

Liens secrets

Les objets ordinaires ne sont pas ordinaires : ils sont merveilleux. L'eau, le verre, la cafetière, la table, le mur, les gousses d'ail : merveilleux. Boire, manger, fabriquer, appartenir à une espèce intelligente, curieuse et industrieuse : merveilleux. Ouvrir les yeux sur toutes les richesses insondables et inestimables que nous côtoyons sans les voir : merveilleux.

Bien sûr, il y a un effort, un microscopique effort, de présence et de regard, pour voir ce qui est invisible à qui ne regarde pas. Voir que nous ne sommes jamais seuls,

La banalité nous a ouverts à l'humanité.
Parce que nous l'avons acceptée,
recueillie, écoutée, regardée, ressentie,
aimée. Sans vouloir la changer ni
l'embellir, sans vouloir la modifier. Telle
qu'elle est, nous l'avons contemplée.

mais au cœur de mille liens : d'autres humains que nous
ont fabriqué ce broc, cette table, ont cherché des sources
et bâti des aqueducs pour que l'eau nous désaltère, ont
compris comment faire du sable un verre, ont cultivé et
cueilli ces têtes d'ail. Un humain nommé Chardin a peint
ces miracles pour nous, il y a plusieurs siècles. Et nous
voilà, regardant tout cela. Comme d'autres ont regardé
avant nous, et d'autres encore regarderont après. D'autres
qui, comme nous, auront fait l'expérience de boire de
l'eau, de reconnaître l'odeur ou le goût de l'ail, de caresser
de la main le dessus d'une table.

La banalité nous a ouverts à l'humanité. Parce que
nous l'avons acceptée, recueillie, écoutée, regardée,
ressentie, aimée. Sans vouloir la changer ni l'embellir,
sans vouloir la modifier. Telle qu'elle est, nous l'avons
contemplée. Et nous nous sommes sentis vivants,
humains et réjouis. Heureux d'être là, dans ce recoin
de cuisine, avec ces objets ordinaires. Heureux, tout
doucement, de ces connexions à la nature, aux humains,

à notre histoire. Chaque objet bénin est une malle au trésor, si on le regarde comme nous le permet Chardin. Celui-ci nous a été donné, celui-là nous l'avons acheté à tel endroit, à telle époque. Cet autre a été inventé et créé par des humains d'un continent lointain, d'un passé très ancien. Et celui-là vient de si loin…

La présence aux objets comme une conscience de l'humanité en nous et autour de nous, comme une dette joyeuse, une gratitude élargie à l'infini : comment, après cela, se dire misanthrope ou se gonfler d'orgueil ?

Aller vers l'essentiel

On peut faire un pas de plus.

On peut aller au-delà encore de toutes ces histoires que nous racontent les objets silencieux, qui vivent dans l'ombre de notre conscience. On peut les contempler sans réfléchir et sans rêver. Ce que l'on nomme *contemplation*, c'est « l'attitude de la conscience quand elle se contente de connaître ce qui est, sans vouloir le posséder, l'utiliser ou le juger », selon la splendide définition d'André Comte-Sponville.

Contempler, c'est regarder sans espérer, ni convoiter, ni commenter. C'est adopter une position d'humilité ouverte et curieuse envers le monde qui nous entoure. Surtout envers ce petit monde, immobile et invisible. C'est regarder les objets pour ce qu'ils sont. Se désengager même de ce qu'ils nous disent. Doucement se désengager de leur histoire (« On me l'a donné », « je l'ai ramassé », « je l'ai acheté un jour où il pleuvait et où j'étais triste »), de leur finalité (« Ils me servent à ceci, ou à cela »), de notre jugement sur eux (« Elle est belle », « il est moche », « ils sont bizarres »). Doucement s'affranchir de ces paroles mentales, les traverser et aller plus loin encore : voir les choses dans leur secret de matière tranquille. Se connecter juste à ce qu'elles sont. Recevoir d'elles une leçon de sagesse silencieuse et sans un mot.

L'immobile révèle l'invisible ; comme le silence révèle l'essentiel. Prenons soin d'accueillir le monde avant de prétendre le penser…

Leçon 10

S'abandonner au vertige de la contemplation des objets quotidiens : une pomme, une chaussure, un brin d'herbe, un téléphone… Les saisir, les caresser, les observer. Se laisser d'abord gagner par tout ce qu'ils veulent dire : tant d'intelligences et d'efforts les ont conduits à exister, tant d'histoires les ont conduits là, devant nous, dans nos vies. Puis, doucement, laisser refluer les pensées et ne rester qu'avec l'essence de l'objet, sans rien lui demander de plus que sa présence silencieuse. Mystique apaisante et étonnante de la casserole ou de l'éponge, négligées et oubliées. Sauf de moi. Ces visites à l'insignifiant comme des remerciements et des hommages rendus à ma chance ahurissante : je suis un être humain, vivant et conscient.

VOIR L'IMPORTANT

C'est une agression débonnaire, amicale, sans méchanceté : un joyeux déluge de formes et de couleurs, à l'arrière-plan du tableau, s'impose à notre regard, nous rentre dans les yeux en force, puis dans la cervelle. C'est beau, mais c'est – sensoriellement – violent et tyrannique. Notre esprit est comme réquisitionné par la vigueur de l'image. Il est presque obligé de faire mentalement tourner la grande spirale où figurent ces rayures, étoiles, ondoiements et autres chatoiements. Les chercheurs en neurophysiologie nous expliquent que certaines de nos zones cérébrales créent alors elles-mêmes dans notre cerveau un mouvement qui n'existe pas sur la toile. L'image est intrusive et presque impolie : elle s'impose à notre conscience sans pudeur, sans douceur. Mais après tout, nous n'avions qu'à ne pas regarder, nous dira-t-on, ne pas être là. Heureusement, il y a cet

Opus 217. Sur l'émail d'un fond rythmique avec des mesures et des angles, des tons et des teintes (Portrait de Félix Fénéon), Paul Signac (*1863-1935*)

1890, huile sur toile, 0,735 x 0,925 m, Museum of Modern Art, New York homme, ce grand type au visage sérieux, aux traits anguleux, figé dans une austère raideur. Il n'a pas l'air intéressé du tout par le vacarme visuel qui l'environne. Son regard est tourné vers une belle fleur blanche qui ressemble à un lys, symbole de pureté. Il n'a d'yeux que pour elle. Et du coup, grâce à lui, nous comprenons nous aussi que c'est elle qui importe. Grâce à lui, nous comprenons que cette pâle fleur blanche, toute fragile, sans couleur, sans vigueur, c'est elle qui compte, c'est elle qu'il faut regarder et protéger.

Car cette grande spirale belle et tapageuse, intrusive et tyrannique, est à l'image de notre société de consommation, puissante et chatoyante. Prête à nous hypnotiser et à nous asservir, à nous dévorer mentalement. Sauf si nous tournons notre regard vers cette fleur. Sauf si nous gardons toute notre conscience…

« Ah ! que j'ai besoin de solitude ! J'ai gravi la colline, au coucher du soleil, pour voir les lignes des montagnes à l'horizon. »

HENRY THOREAU, JOURNAL (AOÛT 1854)

Tumultes et artifices

On peut reprocher beaucoup de choses à cette époque qui est la nôtre, mais on doit lui reconnaître une grande qualité : elle est passionnante, et d'une richesse étonnante, pleine de changements, de vitesse, de mélanges, nous procurant des plaisirs et des possibilités jamais obtenus auparavant, par les générations qui nous précédèrent. Mais est-ce que ces richesses et cette vitesse ne masquent pas certains périls ? Est-ce que le clinquant, le chatoyant, l'intéressant, qui composent souvent notre quotidien extérieur, ne masquent pas certaines misères intérieures ? C'est ce que pensent depuis longtemps les poètes qui ont vu naître et grandir notre monde actuel. Voici ce qu'en disait Stefan Zweig : «Les conditions nouvelles de notre existence arrachent les hommes à tout recueillement et les jettent hors d'eux-mêmes dans une fureur meurtrière, comme un incendie de forêt chasse les animaux de leurs profondes retraites ? » Ou Nietzsche : «Toutes les institutions humaines ne sont-elles pas destinées à empêcher les hommes de sentir leur vie à cause de la dispersion constante de leurs pensées.»

Pour que notre conscience puisse exister et se développer, nous allons devoir la protéger d'un monde, certes stimulant et nourrissant, mais aussi envahissant et toxique.

Pollutions de l'esprit

Il y a des pollutions chimiques : elles contaminent les aliments, l'air, l'eau. Et des pollutions psychiques, qui contaminent notre esprit, violent notre intimité, perturbent notre stabilité intérieure. Slogans, publicités et autres manipulations commerciales : il existe de nombreuses études sur ce matérialisme psychotoxique, dont on sait qu'il provoque beaucoup de dégâts variés. Par exemple, des vols d'attention, de conscience et d'intériorité. Dans quel état finit notre esprit, à force de vols d'attention ? Car notre attention est sans cesse captée, attirée, et finalement fragmentée, segmentée. Elle finit par devenir «accro» au bruyant, au clinquant, au facile, au prédigéré, au prépensé. Dans quel état finit notre esprit, à force de vols de conscience ? Notre mental est encombré de pensées, de démarches et de contenus inutiles : lire les publicités que nous croisons, faire des choix de consommation entre le «moins cher» et le «encore moins cher», dépenser beaucoup d'énergie à rechercher «la bonne affaire», être gavé d'informations qui tournent en boucle et se répètent d'un jour à l'autre. Dans quel état finit notre esprit, à force de vols d'intériorité? Nous sommes submergés par de plus en plus d'attractions externes et de distractions. Activités creuses de remplissage mental et comportemental. Or, comme il faut des silences pour que la parole se fasse entendre, il faut de l'espace mental pour que la conscience et l'intériorité émergent. Le disque dur de notre conscience est encombré de trop de choses inutiles.

Car la conscience, c'est de l'intériorité. Plus nous courrons après de l'externe, moins il y a de conscience. Ces vols d'attention et de conscience aboutissent donc à des déficits d'intériorité. Ils entraînent aussi un raccourcissement de nos pensées. Comme le dit Tiziano Terzani: «Aujourd'hui, nous sommes énormément sollicités, si bien que notre mental n'est jamais en paix. Le bruit de la télévision, le son de la radio dans la voiture, le téléphone qui sonne, le panneau publicitaire sur l'autobus qui passe juste devant. On n'arrive pas à avoir de pensées longues. Nos pensées sont courtes. Nos pensées sont courtes parce que nous sommes très souvent interrompus.» Nos pensées sont courtes et pas toujours tournées vers le dedans, mais comme enfermées dehors par le tumulte et le chatoiement de ce monde factice. Elles sont hors de nous; elles finissent par ne plus être nos propres pensées, mais juste des contenus mentaux stéréotypés venus de l'extérieur, échos de ce monde sans âme. L'écrivain Louis-René des Forêts écrivait : « La surabondance n'a rien à voir avec la fertilité. » Nos esprits perdent leur fécondité à trop se laisser remplir par le vide des tapages extérieurs…

Alors, bien sûr, quand on essaye de penser et de pratiquer l'introspection, c'est-à-dire de réfléchir par soi-même, au calme, au silence, dans de la continuité, on ne sait pas ou on ne sait plus. Pire : comme on en a perdu (ou jamais acquis) l'habitude, surviennent alors des angoisses, de l'ennui, ou des ruminations qui tournent en rond. Alors, vite, vite, nous opérons un retour vers l'extérieur de nous-mêmes, retour à ce tumulte et ce remplissage rassurants. Nous souffrons ainsi d'un déficit généralisé d'intériorité. Car il manque dans notre société tout ce qui permet l'introspection. Nous sommes carencés.

Carences de lenteur, de calme, de continuité…

Les maladies de carence sont insidieuses. Si nous sommes carencés en vitamine C ou D, en oméga 3, en sélénium, il ne se passe d'abord rien. Nous ne souffrons pas, nous ne suffoquons pas, nous ne tombons pas à la renverse. Pas d'effet immédiat. Mais peu à peu des symptômes de souffrance vont apparaître, sous l'effet du manque. Souvent, nous ne comprendrons pas bien pourquoi, ni d'où ils viennent. Les carences se manifestent toujours ainsi, doucement, lentement, insidieusement. Jamais de façon bruyante.

Notre société de profusions multiples crée aussi en nous des manques multiples, et les deux sont liés. Voyez les maladies de pléthore, par exemple, ces maladies modernes

La pleine conscience nous aide à prendre conscience de ces pollutions cachées de nos esprits. Et à nous en protéger : elle nous permet de restaurer nos capacités d'introspection, et de nous reconnecter à nous-mêmes.

du *trop* : trop d'aliments qui nous rendent obèses, trop de possessions qui nous rendent moroses. Le trop de quelque chose, c'est toujours un manque d'autre chose. Et l'excès génère forcément la carence. On sait, par exemple, que la nourriture industrielle, les aliments raffinés et aseptisés, non seulement sont malsains à cause du « trop » – trop présents, trop faciles d'accès, trop sucrés, trop inducteurs d'appétit, puis de diabète et d'obésité –, mais aussi à cause du « pas assez » – de nombreuses vitamines et oligo-éléments. Les carences contemporaines portent également sur nos besoins psychiques. Par exemple, les besoins de calme, de lenteur, de continuité. Pour lesquels nous avons à lutter et à nous organiser, afin de ne pas tomber malades (de stress, d'instabilité émotionnelle, de dispersion mentale).

Lutter contre les carences de lenteur : prendre son temps. Ne pas voler d'une activité à l'autre. Ne pas faire plusieurs choses en même temps. Agir, chaque fois que possible, avec douceur et calme. Pratiquer des « cures de rien », de simple, de calme, de monoactivité. Repérer aussi les remplissages d'emploi du temps et s'en méfier : les programmes délirants d'activités que l'on arrive parfois à s'imposer en week-end, en vacances… Lutter contre les carences de calme : fuir les agressions, les sollicitations. Redevenir sensible à tous les « trop » : musique tout le temps, images tout le temps, écrans tout le temps. Détachons-nous. Acte de liberté : fermer les yeux, ne pas regarder ces écrans qui volent notre attention, nous mangent partout du temps de cerveau et du temps de repos… Lutter contre les carences de continuité : repérer les interruptions incessantes qui ponctuent nos journées ; élever son niveau de conscience par rapport à elles. Résister à la tentation de regarder ses e-mails, ses SMS, de passer un coup de fil ou d'aller faire un tour sur Internet…

La pleine conscience nous aide à prendre conscience de ces pollutions cachées de nos esprits. Et à nous en protéger : elle nous permet de restaurer nos capacités d'introspection, et de nous reconnecter à nous-mêmes. Au lieu de toujours vivre sous perfusion d'injonctions, de distractions, d'activations extérieures.

Elle nous propose de ne rien faire et juste de rester là. À notre poste d'observation, à la vigie de l'introspection. La pratique de la pleine conscience nous aide à décrocher : on n'y recherche rien, il n'y a pas de but. On se donne le temps, on décide, librement, d'aller doucement. On prend le temps de s'asseoir, d'observer, d'éprouver.

Même si on ne le fait que peu de temps, que quelques instants : on est dans la pleine conscience dès qu'on ferme les yeux et qu'on cesse l'action. Déjà, on est dans la liberté.

La pratique méditative : le lieu exact
du choix entre l'urgent et l'important

Comme la sédentarité de nos sociétés modernes a créé dans nos corps le besoin de sport, la sursollicitation éveille dans nos esprits le besoin de méditation. La pleine conscience peut nous aider, nous l'avons vu, à nous rapprocher de ces besoins fondamentaux : lenteur, calme, continuité. Satisfaire ces besoins est une démarche importante. Pas urgente, mais importante.

Il y a ainsi dans nos vies de l'urgent et de l'important. Urgent : répondre à mes e-mails, finir mon travail, faire les courses, réparer ce robinet qui fuit... Si je ne fais pas ce qui est urgent, je serai puni, rapidement, j'aurai des ennuis. Alors, je m'exécute. Important : marcher dans la nature, regarder passer les nuages, parler à mes amis, prendre le temps de souffler, de respirer, de ne rien faire, de me sentir vivant... Si je ne fais pas ce qui est important, il ne m'arrivera rien. Rien dans l'immédiat. Mais, peu à peu, ma vie deviendra terne, ou triste, ou bizarrement vide de sens.

Chaque jour, il y a dans nos vies des conflits entre ce qui est urgent et ce qui est important. Comment ne pas sacrifier totalement l'important à l'urgent ? Comment ne pas céder peu à peu à la dictature de l'urgent, qui fait qu'au bout d'un moment, toute sollicitation me semble urgente, même si en réalité elle ne l'est pas, ou pas autant qu'elle voudrait me le faire croire ?

En réfléchissant, bien sûr. Et en méditant.

Mais même en pratiquant la pleine conscience, nous sommes constamment exposés à ce conflit : à peine me suis-je assis, les yeux fermés, que déjà m'assaillent des

pensées sur tout ce que j'ai à faire. « Pense à envoyer cet e-mail. N'oublie pas de rappeler Untel. Tiens, il faudrait que tu notes cette idée avant de l'oublier. Au lieu d'être là, assis, à essayer de méditer, tu ferais mieux de te lever et de faire toutes ces choses avant de les oublier. Et puis aujourd'hui, ça ne marche pas bien ta séance, tu n'as pas l'esprit à ça. Allez, laisse tomber, relève-toi. Tu trouveras bien un autre moment. Méditer, ça peut attendre. Ce n'est pas comme ton boulot…»

L'urgent tente toujours de prendre le peu de place que je m'efforce de réserver à l'important. C'est comme ça, c'est sa nature. Alors, si je ne dis pas non, si je ne fais pas cet effort, je suis perdu. Je vais vivre une non-vie de robot remuant et creux. Est-ce cela que je souhaite ?

La pleine conscience m'apprend à protéger ce qui est important. À me dire doucement : « Non, non. Je ne me lève pas, je n'ouvre pas les yeux, je n'arrête pas ma séance. Je reste là, assis, les yeux fermés, à prendre conscience de mon souffle, de la respiration du monde tout autour de moi. C'est important. Très important. Infiniment important. Rien n'est plus important à cet instant que de rester là, comme ça.» Avoir appris à doucement dire *non* lors des exercices de pleine conscience, avoir fait l'*expérience* de ce non et de ses bienfaits, cela va peu à peu s'étendre à tout le reste de ma vie. Et m'aider à y dire non, aussi, m'aider à tamiser le flot des urgences, à accroître ma clairvoyance envers les fausses alertes du « fais-le vite, tout de suite !».

Sourire, comprendre que chacun de ces petits combats gagnés me rend plus intelligent et plus heureux.

Et m'aide à faire, peu à peu, de la place dans ma vie pour ce qui importe. Penser à Thoreau, qui partit vivre un an dans les bois à Walden : «Une fois que l'homme s'est procuré l'indispensable, il existe une autre alternative que celle de se procurer les superfluités ; et c'est de s'aventurer dans la vie présente.»

Leçon 11

Inlassablement, protéger son esprit des intrusions et sollicitations de la «vie moderne». Cela veut dire, entre autres : faire la chasse à tous ces automatismes consistant à allumer sans y penser la radio, la télé, l'ordinateur ; préserver jalousement des plages de continuité pour notre esprit (ne pas se laisser déranger ou interrompre par le téléphone et les messages Internet) ; considérer que le calme et le silence sont des nourritures indispensables lorsqu'on est un citadin actif, et que s'en priver trop longtemps nous rend tout doucement malades.

AGIR
ET NE PAS AGIR

l va être beau, ce parquet! Les murs sont déjà terminés, magnifiques, tout blancs avec leurs bossages dorés, dont les lignes droites sont joyeusement interrompues par les arabesques du balcon. Les trois ouvriers s'activent tranquillement, avec le souci du détail et du travail bien fait : voyez le geste de celui de gauche, qui manipule ses ciseaux à bois avec une précision délicate. Pendant ce temps, ses deux collègues échangent quelques mots en continuant de passer leurs gros rabots. Parlent-ils du beau parquet qu'ils sont en train de faire naître de ces planches de bois brut? De leur salaire? De leur prochain dimanche de canotage sur la Marne, à Nogent? Ou de l'amour, des élections, de la vie qui va?

Caillebotte peint ici les formes multiples du rapport à l'action : attentive ou automatique, solitaire ou partagée... Il nous suggère aussi l'arrêt, bientôt, de l'action : le temps d'une pause méritée pour cette fraternité du parquet, afin de savourer un petit verre de vin, dans les odeurs mêlées de sciure et de sueur.

Les Raboteurs de parquet, Gustave Caillebotte (*1848-1894*)
1875, huile sur toile, 1,02 x 1,47 m, Musée d'Orsay, Paris

« Quand je danse, je danse ; quand je dors, je dors ;
voire et quand je me promène solitairement en
un beau verger, si mes pensées se sont entretenues
des occurrences étrangères, quelque partie du temps,
quelque autre partie je les ramène à la promenade,
au verger, à la douceur de cette solitude et à moi. »

MONTAIGNE, ESSAIS

La méditation a besoin de l'action

Être immobile et coupé du monde ? Oui, les exercices de pleine conscience ressemblent effectivement à cela. Mais c'est seulement pour un temps. C'est seulement une respiration entre deux périodes d'action. On finit toujours par revenir à l'action. La méditation elle-même adore l'action, sinon elle tourne en rond. On médite avant d'agir, après avoir agi, et même *dans* l'action, que l'on peut accomplir, ou pas, en pleine conscience.

Il faut toujours se méfier de la pensée « hors action », comme ces fruits et légumes « hors sol », poussés sous serre et dans un jus nourricier artificiel qui n'a rien à voir avec la vraie terre. Toujours se méfier de la pensée théorique d'humains qui ne se frottent pas au quotidien de l'action. « Il faut soumettre l'action à l'épreuve de la pensée et la pensée à l'épreuve de l'action », écrivait Goethe. Mais il ne faut jamais non plus asservir totalement l'action à la pensée : ne pas l'accomplir seulement dans les obsessions du but (« C'est bientôt fini ? Qu'est-ce que c'est long… ») ou du jugement (« C'est agréable », « c'est pénible… »).

Nous avons, finalement, à libérer l'action, à lui permettre régulièrement d'être juste elle-même.

Libérer l'action : la démarche du « rien que »

Libérons et densifions nos actes, pour leur permettre de n'être « rien que » ce qu'ils sont : rien que manger (sans lire ni écouter la radio), rien que marcher (sans téléphoner, sans anticiper, sans réfléchir), rien qu'écouter (sans préparer ses réponses ni juger ce qu'on nous dit). Malgré les apparences, le « rien que » est suprêmement difficile :

nous avons souvent la tentation de faire plusieurs choses en même temps. En vrai : manger en lisant, ou marcher en téléphonant. Ou dans notre tête : faire quelque chose en pensant à autre chose (prendre sa douche en pensant à sa journée de travail). Du coup, on fait tout en pleine absence et non en pleine conscience.

La pleine conscience préconise une hygiène de l'action simple, non pas permanente mais régulière : elle recommande de prendre, chaque semaine, un repas en pleine conscience (en silence, sans lecture, ni radio, ni discussion). Ou de pratiquer souvent une marche en pleine conscience : tout doucement, tout lentement, marcher en sentant que notre corps marche, qu'il marche dans un environnement que nous accueillons en nous, dans un océan de sensations dont nous sentons le frottement sur notre être. Marcher pour marcher. Sans rouspéter, sans s'empresser, juste laver la vaisselle et sortir la poubelle : mais en pleine conscience…

Vertus de la présence à l'action

Pourquoi ces efforts ? Pourquoi renoncer, finalement, à vivre deux vies au lieu d'une, à faire à chaque instant deux choses plutôt qu'une ? Parce qu'à vouloir vivre deux fois plus, on risque juste de vivre deux fois moins, car deux fois plus mal ; deux fois plus triste, deux fois plus énervé, deux fois plus creux, deux fois plus vain.

Il est important d'échapper à la « frénésie finaliste ». Ne pas agir seulement pour *faire*, mais essayer aussi d'agir pour *être*. La présence mentale à l'action accroît notre sentiment d'être de vrais humains, notre sentiment de présence au monde. Et écarte de nous ces actions d'automate, dont nous ne savons même plus, quelques minutes plus tard, si nous les avons accomplies. La présence mentale à l'action nous permet aussi de nous rapprocher de ce pour quoi l'action existe. Être présent à ce que l'on mange nous le rendra plus savoureux. Écouter quelqu'un qui nous parle nous permet de vraiment l'écouter, et non de le juger en l'écoutant, ou de simplement faire semblant de l'écouter alors qu'en réalité, on prépare notre réponse.

La présence mentale à l'action nous permet enfin de mieux comprendre à quel moment une action devient inutile : être présent à ce que l'on mange ou à ce qu'on boit nous aide à éprouver le moment où il n'est plus utile dc continuer à manger ou à boire. La pleine conscience nous aide à percevoir à quel moment un dialogue devient un dialogue de sourds. À quel moment nous taire et à quel moment parler…

Désobéir aux impulsions

Nous avons parlé, dans le chapitre précédent, des impulsions à interrompre nos séances de méditation pour faire quelque chose de « plus urgent ». Cela peut nous saisir aussi pendant que nous travaillons (surtout si c'est compliqué, ennuyeux ou stressant) : l'envie de regarder si, par hasard, nous n'avons pas un e-mail ou un SMS, l'envie de passer un coup de téléphone, l'envie d'aller prendre un petit café, l'envie d'aller bavarder avec des collègues, l'envie de manger un bonbon ou un gâteau…

La pleine conscience nous recommande de prêter attention à la naissance de ces impulsions avant de leur obéir; elle nous suggère de *défusionner* avec elles. De les accueillir : «Tiens, j'ai envie d'interrompre mon travail.» De les observer : «Ça me pousse à arrêter ce que je suis en train de faire, parce que c'est difficile.» Et de se demander si on leur obéit ou pas : «Est-ce que c'est important, intéressant ou nécessaire d'obéir à cette impulsion?» Souvent, bien sûr, ce n'est ni important, ni intéressant, ni nécessaire. Juste une impulsion d'habitude : agir, agir, agir... Et fuir aussi, aller voir ailleurs quand on est en difficulté, quand on est excité ou stimulé par une idée. Quand on s'ennuie. Ou même quand tout va bien : juste parce qu'on est intoxiqué. Juste parce que, dès que la démangeaison de l'impulsion surgit, nous nous soulageons par l'action.

Mieux percevoir la naissance de ces impulsions simples va ensuite nous aider face aux impulsions complexes : agresser si l'on est critiqué, ruminer si l'on est attristé, s'inquiéter si l'on est dans l'incertitude. La simplicité de la pleine conscience nous aide, l'air de rien, à mieux évoluer dans la complexité de la vie.

Apprendre à se désobéir : un acte simple de clarification et de libération personnelle…

Cesser d'agir

Et si nous laissions plus souvent notre esprit respirer entre deux actions ? Après un coup de téléphone, ne pas passer à un autre coup de téléphone ; mais m'arrêter, fermer les yeux un instant, sentir mon souffle, et repenser à ce qui a été dit. Après le départ de mes amis, ne pas me précipiter pour tout ranger avant d'aller me coucher ; mais m'arrêter, fermer les yeux un instant, sentir mon souffle, et repenser à ces moments d'échange et d'affection. Après un conflit avec un proche, ne pas recouvrir ma peine et mes états d'âme par une autre action ; mais m'arrêter, fermer les yeux un instant, sentir mon souffle, et repenser à ce qui a été brisé dans ce lien qui m'est cher.

Et si, après nos actions en pleine conscience, nous apprenions aussi à être pleinement présent au fait de ne rien faire ? À interrompre nos actions pour d'autres raisons que l'épuisement. Pour pratiquer la non-action…

Dans la méditation, la pratique de l'immobilité nous apprend beaucoup sur cette notion de non-action. Alors que nous sommes là, assis et immobiles, attentifs et réceptifs, nous comprenons que cette immobilité ne doit pas être un acte de plus. Nous comprenons qu'elle doit être non pas *voulue*, contrainte ou imposée à notre corps, mais simplement *permise*. Nous cherchons à la laisser émerger dans notre corps. Pas par le contrôle, mais par l'abandon et l'observation : observe cette pensée qui te dit de bouger, de te gratter le nez, de te relever. Observe-la bien, et décide vraiment si tu veux la suivre.

De toute façon, ne la suis pas tout de suite ; quoi qu'il arrive, fais-la un peu attendre. Et reste immobile. «L'immobilité n'est pas une action de plus, imposée à une partie de mon corps, mais une non-action de tout mon être», nous rappelle un maître. Oui, c'est bien cela : l'immobilité dans laquelle notre conscience respirera est faite d'abandon et non de coercition...

Non-action et liberté

Mais s'abandonner et ne rien faire, c'est vraiment difficile ! Ça paraît simple, mais ça ne l'est pas du tout. Il y a tellement de choses autour de nous qui nous appellent et tellement d'humains qui nous interpellent ! Tellement que nous pourrions y passer toute notre vie. Nous pourrions facilement mourir sans avoir vécu, après avoir passé toute notre vie à faire les choses à faire. C'est pourquoi nous avons besoin de non-action.

La non-action, c'est la respiration de l'action. C'est comme le silence après le bruit. C'est s'efforcer, dans bien des moments de son quotidien, de ne pas passer tout de suite à autre chose, à une autre action. Décider de prendre le temps, non pas de réfléchir mais de ressentir, de se laisser doucement envahir par le sillage de ce que l'on vient de faire, et la présence de l'instant.

La pleine conscience nous permet, finalement, de considérablement augmenter notre liberté. Plus je la pratiquerai, plus je ressentirai dans mon quotidien la différence entre réagir (aveuglément, aux impulsions) et répondre (en toute conscience). Et plus je préférerai *répondre* à ce que me demande le quotidien, avec toute ma conscience, qu'y *réagir*, l'esprit absent. C'est bien pour cela que les pratiques méditatives peuvent transformer profondément notre rapport au monde, et pour cela aussi qu'elles relèvent de ce que certains appellent une «intériorité citoyenne».

Leçon 12

Prendre l'habitude de se rendre présent à ce que l'on va faire : avant de travailler, de manger, de téléphoner à une personne que l'on aime, prendre le temps de quelques respirations en pleine conscience. Se connecter tranquillement à ce que l'on s'apprête à accomplir. Pas de grands discours, ni de motivations complexes : juste un acte simple de présence mentale. Et puis, bien sûr, chaque jour et chaque semaine, pratiquer des exercices de «rien que» : rien que manger (un repas en pleine conscience), rien que marcher (un trajet sans réfléchir ni anticiper), rien que se brosser les dents (sans songer à la journée qui nous attend ou que nous avons vécue).

Thomas More, Hans Holbein le Jeune (1497/98-1543)

Vers 1527, huile sur bois, 0,749 x 0,603 m, The Frick Collection, New York, Henry Clay Frick Bequest

AFFÛTER SON ESPRIT

Un regard calme et attentif. Un visage attachant d'intelligence tranquille, n'exprimant ni bienveillance ni hostilité, seulement le souci de comprendre au plus juste, et au plus près. Voici Thomas More, incroyablement vivant dans ce portrait vibrant, pourtant peint il y a cinq siècles. Une éternité. Ce tableau de Hans Holbein, qui fut son ami, souligne l'acuité de l'esprit de More, ses capacités d'engagement et de recul. Il était un homme impliqué dans la marche du monde, un notable puissant : voyez son riche costume, la chaîne en or qui atteste des services rendus à son roi. Il tient un petit billet, peut-être comme un signe de son intense activité intellectuelle. Il était aussi un humaniste courageux et intègre, un réformateur et un visionnaire, auteur du célèbre ouvrage *L'Utopie*, et ami du grand philosophe Érasme. Il fut un père affectueux et attentif, ce qui n'était pas courant à son époque. Voici ce qu'il écrivit un jour à sa fille Margaret : « Je t'assure

que, plutôt que de vous laisser grandir dans l'ignorance et l'oisiveté, je sacrifierais tout et dirais adieu aux affaires afin de m'occuper de mes enfants – dont aucun ne m'est plus cher que toi, ma fille bien-aimée.» Celle-ci conserva jusqu'à sa propre mort la tête de son père décapité.

Car, après avoir été un grand homme d'État, More fut condamné à mort par le roi d'Angleterre Henry VIII, parce qu'il s'était opposé à cet ogre tyrannique, qui ne mangeait que de la viande et changeait d'épouse comme de chemise. Observez bien son visage : voyez à gauche l'œil doux de la compassion, à droite, l'œil tranchant de l'attention. Puissions-nous être comme Thomas More, capable chaque jour des deux.

« Si vous êtes poète, vous remarquerez certainement le nuage qui flotte sur cette feuille de papier. Sans nuage, il n'y aurait pas de pluie ; sans pluie, les arbres ne pousseraient pas ; et sans arbres, nous ne pourrions pas fabriquer du papier. Le nuage est nécessaire au papier ; s'il n'existait pas, la feuille de papier n'existerait pas non plus. »

Thich Nhat Hanh

L'intelligence méditative

Pascal disait qu'il y a « deux excès : exclure la raison, n'admettre que la raison ». Raison et méditation font bon ménage : la seconde permettant à la première d'étendre encore son champ. La méditation de pleine conscience ne ramollit pas l'esprit, elle n'est pas une contemplation passive. Elle est au contraire une nourriture de notre intelligence.

Exercer son intelligence, c'est établir des liens, relier entre elles des idées, des concepts, et en tirer des conclusions ou des décisions. Mais c'est aussi voir que ces liens existent ou peuvent exister. Se montrer intelligent, c'est donc commencer par observer ce qui est, au lieu de vouloir imposer tout de suite sa présence au réel. L'intelligence, c'est d'abord se lier au monde, avant d'en relier les éléments et d'en faire émerger des règles et des lois.

Ce lien entre le monde et nous, c'est le cœur même de la pleine conscience, dont la pratique représente à la fois un laboratoire, où nous observons notre esprit fonctionner (on pourrait parler d'une « science de soi »), et d'un gymnase, où nous l'entraînons à acquérir certaines qualités : capacités de réflexion, de concentration, de résistance à la distraction, de créativité, de flexibilité mentale…

Par exemple, la pleine conscience facilite ce qu'on nomme en psychologie l'*accommodation*. Les notions d'assimilation et d'accommodation ont été identifiées par le psychologue suisse Jean Piaget ; elles décrivent la manière dont notre esprit intègre les contradictions éventuelles entre le monde et notre vision du monde.

Se montrer intelligent, c'est donc commencer par observer ce qui est, au lieu de vouloir imposer tout de suite sa présence au réel.

Ainsi, si un élément de réalité contredit l'une de mes croyances, je peux *assimiler* (déformer la réalité pour la faire cadrer avec mes croyances) ou *accommoder* (modifier ma croyance pour intégrer la réalité).

Un exemple : je pense qu'une personne de ma connaissance est égoïste (croyance) et, un jour, je la vois se comporter avec moi de manière altruiste (réalité). Je peux *assimiler* : ne pas modifier mon jugement sur elle et expliquer alors son comportement en me disant qu'elle se comporte ainsi par calcul. Mais je peux aussi *accommoder* : me dire qu'elle est aussi capable de comportements généreux et assouplir, sinon radicalement modifier, mon jugement sur elle ; ou le suspendre temporairement (« J'attends de voir la suite pour savoir vraiment que penser »).

Il est plus facile et confortable d'assimiler que d'accommoder, car cela ne nécessite ni efforts psychologiques ni remise en question personnelle. Cela ne fait qu'huiler davantage nos automatismes mentaux. Mais en bloquant évidemment nos capacités de nous libérer de nos croyances, et de faire évoluer nos avis et jugements. L'accroissement des capacités d'accommodation est un des bénéfices de la pleine conscience. C'est la conséquence des attitudes mentales d'acceptation et de non-jugement, par exemple. Et surtout de leur pratique régulière au travers des exercices : car la pratique, c'est ce qui fait la différence entre une position de principe et son application au jour le jour.

Freud écrivait : « Ce n'est pas résoudre un conflit que d'aider l'un des adversaires à vaincre l'autre. » La pleine conscience peut nous apprendre à ne vouloir la victoire d'aucune de nos façons de penser ou de voir le monde, mais à les héberger en nous dans toute leur richesse et leur complexité.

S'apaiser pour mieux lire le monde

Un autre bénéfice de la pleine conscience est l'apaisement, fort utile, lui aussi, à l'intelligence. L'intelligence des énervés et des passionnés est sujette à des obscurcissements étonnants. Leurs émotions leur donnent certes de la force et de l'énergie mais altèrent évidemment leur lucidité, et imposent à leur clairvoyance des éclipses incroyables et récurrentes. Le tumulte et le désordre de notre esprit diminuent notre libre arbitre, le rendent esclave de nos émotions, c'est-à-dire des circonstances.

Il est intéressant de noter à ce propos qu'il existe deux voies dans la méditation bouddhiste, d'où est issue la pleine conscience. Celle de l'apaisement, appelée *shamatha* et celle de la « vision pénétrante », appelée *vipassana*. La première voie est nécessaire pour que la seconde s'exerce pleinement. L'esprit agité et dispersé ne peut poser sur le monde un regard lucide. Il reste dans une représentation du monde, mais il n'est pas dans le monde. Son intelligence est donc, au sens propre, bornée : limitée, restreinte. Quel intérêt ?

La pleine conscience doit nous aider à ne pas en rester au «miroitement du réel». La vision pénétrante nous permet de sonder la nature des choses, de ne pas nous laisser abuser par les apparences. La philosophe Simone Weil écrivait : «L'intelligence n'a rien à trouver, elle n'a qu'à déblayer.» Nous avons souvent ainsi à déblayer dans notre esprit tout ce qui fait obstacle à une vision juste et précise du monde, qui émergera alors d'elle-même, comme une évidence. La quête de la vision pénétrante n'est pas, pour les penseurs bouddhistes, une question théorique ou philosophique : la manière dont nous voyons et comprenons la réalité pèse de tout son poids sur notre bien-être et s'avère responsable, si elle est inadéquate, d'une part importante de nos souffrances et de celles du monde. Plusieurs concepts fondamentaux émergent ainsi de cette recherche de clairvoyance. Parmi les plus importants, citons l'interdépendance, la vacuité et l'impermanence.

Interdépendance, vacuité et impermanence

L'interdépendance de toutes choses nous rappelle que rien, ici-bas, n'a d'existence absolue en tant qu'entité fixe et isolée. Je n'existe pas en tant que sujet autonome et indépendant de mon environnement : je dois ma vie et ma survie à une infinité d'autres humains, et à bien d'autres phénomènes naturels encore. Les actes et les jugements que j'appelle miens – « mes » actes et « mes » jugements – et qui me semblent émaner de ma volonté propre sont déterminés par bien d'autres facteurs. Mais ces liens de dépendance sont aussi des liens d'interdépendance : « je » suis l'aboutissement mais aussi le point de départ d'élans et d'initiatives qui, à leur tour, vont exercer leur influence tout autour de moi. Tant que je n'aurai pas compris, et surtout intimement admis et intégré, tous ces liens d'interdépendance, tant que je ne les aurai pas joyeusement acceptés, je serai aveugle et tomberai régulièrement dans les pièges de l'ego, de l'orgueil et de la souffrance. Les accepter, à l'inverse, ne me poussera pas au fatalisme mais à l'humilité dans mes entreprises et mes convictions.

La vacuité est le deuxième de ces grands concepts bouddhistes, et peut-être celui qui est à l'origine du plus grand nombre de malentendus. La «vacuité de toutes choses» ne signifie pas que rien n'existe vraiment, mais juste que ce que nous voyons n'a pas d'existence concrète et solide. Un peu comme un arc-en-ciel: son existence dépend de ma position, de celle du soleil, du bon vouloir des nuages qui passent… L'arc-en-ciel existe pour moi, mais pas pour d'autres humains, placés différemment. Il en est de même pour un énorme ressentiment envers quelqu'un qui a dit un mal affreux à mon sujet: il est bien réel, je le sens qui m'envahit dans mon corps et mon esprit. Mais si j'apprends que ces propos qu'on m'a rapportés n'ont jamais existé, et que la personne a dit en fait beaucoup de bien de moi, que deviendra ce ressentiment et sa redoutable solidité de l'instant précédent? Il disparaîtra en un instant. La vacuité d'un phénomène ou d'une chose, ce n'est pas son inexistence ni son absence, mais sa nature instable, mobile, subjective, complexe… La vacuité, c'est cela: la conscience de la complexité de toutes choses. Et sa conséquence, c'est la prudence avant de se laisser prendre et de s'accrocher

Je n'existe pas en tant qu'entité autonome et indépendante de mon environnement: je dois ma vie et ma survie à une infinité d'autres humains.

solidement au « miroitement du réel ». Au début insécurisante, presque déprimante, l'idée de vacuité – et surtout l'expérience que l'on peut en faire en méditant – devient peu à peu éclairante, et presque réjouissante elle aussi, comme l'interdépendance.

Et puis, il y a l'impermanence, dont nous reparlerons, et qui nous apprend que rien n'est destiné à durer, que tout ce qui advient est affaire de compositions et décompositions, organisations et désorganisation, toutes transitoires et éphémères. Rien d'affligeant, là encore, mais plutôt de l'éclairant et du libérateur.

Comme le notait Paul Valéry : « L'esprit vole de sottise en sottise comme l'oiseau de branche en branche. Il ne peut faire autre chose. L'essentiel est de ne point se sentir ferme sur aucune… » Nos esprits ont besoin de certitudes transitoires, comme les oiseaux de branches. Mais passons-les au crible de l'interdépendance, de la vacuité et de l'impermanence, et nous en souffrirons moins ; nous ferons moins souffrir, aussi… Car il y a un quatrième concept bouddhiste central, sans lequel les trois précédents ne sont rien : la compassion et l'amour altruiste, dont nous reparlerons.

Rencontrer le réel

Le maître bouddhiste Thich Nhat Hanh enseigne : « La méditation n'est pas une évasion mais une rencontre sereine avec la réalité. » Cette rencontre sereine avec la réalité ne se décrète pas mais se travaille au travers de chaque exercice où l'on s'apaise par le souffle, où l'on examine patiemment son expérience de l'instant, avec douceur et obstination ; même si cette dernière est douloureuse, compliquée, embrouillée. On continue de respirer et de regarder en dedans de soi. On accepte de ne pas clairement comprendre ni maîtriser, mais on continue d'éprouver et d'observer. Ainsi, on apprend à mieux regarder, au dehors, ce monde lui aussi douloureux, compliqué, embrouillé. On apprend à mieux penser, un peu plus juste, un peu plus clair…

Leçon 13

Libérer les chaînes de notre intelligence : elle aussi peut se scléroser, ressasser et tourner en rond, victime de notre paresse et de la force invisible des automatismes mentaux et du « prêt-à-penser ». Cela ne se décrète pas, mais cela se travaille. Comment garder l'esprit affûté : en le maintenant apaisé et ouvert au monde, bien sûr, mais aussi en remettant inlassablement en question son fonctionnement. À chaque fois que nous arrivons à nous dire « c'est simplement ce que je pense », « il me semble que j'ai raison », « ce n'est que mon avis », non comme un discours de façade mais avec une vraie humilité et une vraie prudence, alors nous sommes dans l'intelligence et non plus dans l'aveuglement.

COMPRENDRE
ET ACCEPTER
CE QUI EST

Nous n'existons pas pour elle.

Elle ne nous regarde pas, mais le geste de sa main nous immobilise et nous fascine : rester là, sans bouger, sans la déranger.

Il existe des milliers d'Annonciations dans la peinture occidentale. Mais celle-ci n'est pas comme les autres : on n'y voit pas l'ange Gabriel venu annoncer sa grossesse à Marie. On n'y voit rien d'autre que l'expérience intérieure de Marie. Une Marie humaine, saisie dans son cheminement psychologique, plutôt qu'une Marie divine, déjà dans une forme de révélation mystique.

Le tableau montre un instant précis : celui où Marie comprend et accepte. Tout. En un instant. Un instant en suspens, à l'image de la page du livre qu'elle vient de lâcher pour

La Vierge de l'Annonciation (L'Annunciata), Antonello da Messina
(*vers 1430-vers 1479*)
1474-1475, huile sur bois, 0,45 x 0,35 m, Galleria regionale della Sicilia, Palerme

resserrer son voile. Comme pour se protéger du destin qui vient de s'ouvrir devant elle. Et son visage est comme ce livre : ni ouvert ni fermé. Son regard est tourné vers l'intérieur d'elle-même. Elle pense, elle éprouve, elle respire.

Il y a aussi, revenons-y, ce geste étrange de la main droite qui se lève doucement, comme pour dire : «C'est bon, oui, oui, j'ai compris, j'accepte et je prends tout ce que Dieu m'envoie.» Cette main qui reste ouverte, qui accueille, qui exprime l'apaisement, ou la quête de l'apaisement, et qui suggère cet instant en suspens où l'on accepte avant de s'engager.

Pouvait-elle dire non ? Qui pourrait dire non à un ange annonciateur envoyé par Dieu le Père ? Mais elle aurait pu se soumettre avec moins de grâce et d'intelligence. Marie dépasse sa surprise, sa peur, son incrédulité et accepte la volonté divine. C'est cet instant précis qui est peint dans le tableau et tout y est dit. Pas d'ange, de trompettes, ni de tralala. Juste une bouleversante aventure intérieure.

«Acceptez !
Car il n'y a rien d'autre...»

Swâmi Prajnânpad, L'Expérience de l'unité

Accepter

L'acceptation est au cœur de la pleine conscience. Accepter, ce n'est pas dire « tout est bien » (cela, c'est l'approbation) mais « tout est là, tout est déjà là ».

Nous n'avons pas besoin d'aimer une pensée, une situation, une personne, ou une expérience pour les accepter. Pas besoin d'aimer, juste d'admettre que cette pensée, cette situation, cette personne, ou cette expérience sont là : elles existent, elles sont déjà dans ma vie, et il va me falloir composer et avancer avec elles.

L'acceptation, c'est le degré supérieur du lâcher prise. Car elle est, plus qu'un comportement, une décision existentielle et une philosophie de vie, une attitude durable et réfléchie devant le monde et le cours de nos jours. Dans le lâcher prise, il y a la notion de renoncement : on arrête de se débattre. Dans l'acceptation, il y a une intention de rester présent dans l'action, mais différemment : dans la lucidité et le calme. À chaque chose qui advient, on commence par dire : « Oui. C'est là, c'est déjà là. Alors, oui. » C'est l'accueil sincère et complet du réel tel qu'il se présente à nous.

Mais cet accueil par le *oui* ne signifie en rien une résignation ou un renoncement à agir et à penser. C'est juste une des deux phases de ce mouvement régulier de notre esprit, comme une respiration de l'âme : acceptation (de ce qui est) puis action (sur ce qui est), acceptation (de ce qui est advenu) puis action (sur ce qui est advenu). Et ainsi, encore et toujours, jusqu'à la fin… Au bout d'un moment d'ailleurs, comme à chaque fois que l'on maîtrise parfaitement une attitude psychologique, cela devient une seconde nature : « Vous n'avez pas à accepter les choses : elles sont déjà là. » Il n'y a alors plus lieu de faire des *efforts* d'acceptation : elle est devenue une capacité intérieure discrète et silencieuse. Et nous nous sentons bien plus forts ainsi.

L'acceptation comme un détour

L'acceptation nous apprend à suivre le meilleur chemin pour arriver là où nous voulons aller. Et cette voie n'est pas forcément la ligne droite. Comme lors d'une randonnée en montagne : ce serait une mauvaise idée de vouloir monter tout droit vers le sommet. On suit plutôt les sentiers qui serpentent en épousant les flancs de la montagne. Sans renoncer à arriver en haut. Nous acceptons la pente et les détours mais nous marchons vers le sommet. De même, de nombreux efforts psychologiques ne peuvent être correctement conduits que par la voie de l'acceptation.

Par exemple, la confrontation à des pensées d'échec (« Je n'y arriverai pas »). Il n'est pas toujours efficace de les combattre tout de suite par le volontarisme (« Si, je dois y arriver ! ») ou la rationalisation (« Il n'y a pas de raison que je n'y arrive pas ! »). Sinon, on n'apprendra jamais à tolérer ces pensées d'échec en nous (et mieux vaut apprendre à leur désobéir qu'à essayer de les supprimer). Et donc, elles garderont leur pouvoir de déstabilisation. De surcroît, on n'aura finalement pas accepté l'idée que l'échec est toujours une possibilité. Le détour par l'acceptation aura, au contraire, un effet souvent éclairant et para-doxalement apaisant : « Je sais, j'accepte, je ne suis pas sûr que ça marche. Mais j'en ai quand même envie. Alors je vais faire de mon mieux, puis nous verrons bien…»

La pleine conscience nous apprend à faire ce détour par l'acceptation : accepter l'idée de l'échec, observer son impact sur moi, ne pas l'alimenter ni lui donner de l'énergie en la combattant ou en la repoussant, mais la laisser sédimenter en moi, en continuant de respirer et de garder mon attention la plus ouverte et vaste possible, en restant en pleine conscience. Puis revenir à l'action, qui sera souvent le seul moyen pour vérifier jusqu'où cette idée d'échec était pertinente, ou ne l'était pas.

L'acceptation comme une sagesse

«Un bon endroit où chercher la sagesse est, par conséquent, là où vous vous attendez le moins à la trouver : dans l'esprit de vos opposants.» Juste et vrai, n'est-ce pas ? Mais pour cela, il faut les avoir écoutés, ces opposants, et leur avoir donné le droit d'exister (nous qui rêverions de n'avoir que des «approuvants»). Alors leur avis deviendra une richesse, et une chance pour devenir plus intelligents.

L'acceptation nous permet aussi d'intégrer la dimension tragique du réel, sans faire pour autant de notre vie une tragédie : on ne nie pas les aspects douloureux ou injustes de l'existence, mais on leur fait une place. Pas *toute* la place : on en garde aussi, bien sûr, pour ce qui est beau et bon.

Comme le mot «acceptation» dérange, comme beaucoup entendent «résignation», on lui a cherché des remplaçants. Le philosophe Alexandre Jollien propose par

Accepter, c'est s'enrichir et laisser le monde entrer en nous ; au lieu de vouloir le faire à notre image, et n'en prendre que ce qui nous convient et nous ressemble.

exemple « assomption ». Outre sa signification chrétienne (la fête de l'Assomption désigne le miracle de l'enlèvement de Marie par les anges, pour être conduite au ciel), ce mot renvoie aussi étymologiquement à « l'action de prendre », d'assumer et finalement d'accepter. D'autres parlent d'« expansion » : de fait, il s'agit bien de faire de l'espace en soi, inlassablement, même pour ce qui nous dérange et nous déplaît. Ne jamais nous y résigner, mais ne jamais nous y accrocher négativement par le rejet. Le rejet et l'antipathie, comme la peur, engendrent la dépendance et la vulnérabilité. Alors oui, faire cet espace en soi, inlassablement, et diluer nos tourments et antipathies dans un contenant infini. Plus nous sentirons en nous de la raideur et du rejet envers ce qui nous arrive, plus nous aurons intérêt à nous tourner vers une conscience vaste et sans objet : accueil de tout.

L'acceptation, finalement, suppose un choix paradoxal : celui de ne pas choisir ! De ne rien rejeter, de ne rien éliminer. Même le « pas désirable », le « pas bon », le « pas beau », le « pas bien »... On décide, à l'inverse, de tout accueillir, d'héberger ce qui passe et ce qui est. Par l'acceptation, on ouvre un espace intérieur infini, parce qu'on a renoncé à tout filtrer, à tout contrôler, à tout valider et mesurer et juger. En ce sens, accepter, c'est s'enrichir et laisser le monde entrer en nous, au lieu de vouloir le faire à son image, et n'en prendre que ce qui nous convient et nous ressemble. C'est ce que disait à sa manière étrange Thérèse de Lisieux : « Je choisis tout. »

Leçon 14

Accepter ce qui est rend plus calme et plus intelligent. Et donc plus capable de changer ce qui doit l'être. Voilà pour la déclaration d'intention. Ensuite, il y a évidemment les travaux pratiques, sans lesquels tout cela n'est que vent et vaines paroles. Tous nos petits agacements quotidiens sont de merveilleuses occasions de travailler l'acceptation. Tu es dérangé, contrarié, abattu ? D'abord, respire et prends conscience de tout ce qui est là : la situation et son impact sur toi. Constate ensuite que c'est déjà là. Impossible d'effacer ? Alors accepte. Enfin, vois ce qu'il y a lieu de faire ou de penser. C'est simple à comprendre et pourtant cela fait plus de deux mille ans qu'on nous le répète. Sans doute parce qu'il ne suffit pas de le comprendre, mais qu'il faut s'y entraîner chaque jour. Ce qui est moins prestigieux et moins savoureux que les grands discours et vastes maximes, mais plus efficace.

3.
TRAVERSER LES TEMPÊTES :
LE REFUGE DE L'INSTANT PRÉSENT

« Celui qui voit le moment présent
voit tout ce qui s'est produit de toute éternité
et ce qui se produira dans l'infinité du temps. »

MARC AURÈLE, PENSÉES POUR MOI-MÊME (6, 37)

SE LIBÉRER
DE SES PRISONS
MENTALES

Pauvre homme ! Comme il a l'air triste et soucieux. Épuisé, usé. Il semble avoir renoncé à comprendre ou à agir. Et cette drôle d'impression que sa tête est coincée dans la fenêtre… Comme s'il avait voulu regarder au-dehors, pour voir un peu ce qui se passait dans le monde, juste se changer les idées, sortir de ses ruminations tristes. Et le voilà bloqué, souffrant, passif. Avec son regard qui ne regarde pas, qui ne regarde rien. Son regard qui ne regarde pas au-dehors mais en dedans. Son regard lui aussi coincé et encastré dans ses peines et ses chagrins.

Piégé, comme nous le sommes parfois dans nos pensées. Emprisonné par la rigidité de l'encadrement en pierre de la fenêtre, par la solidité du bois, du verre et du métal. Comme

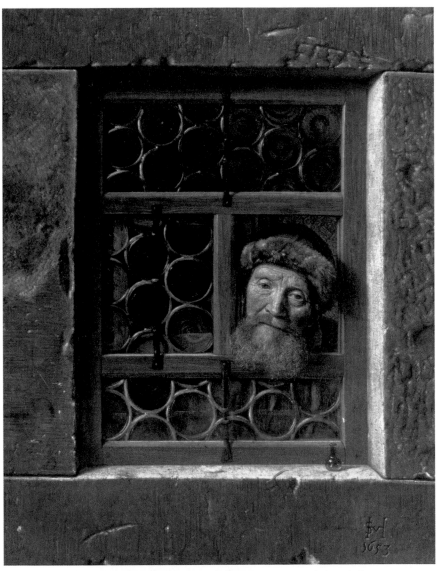

L'Homme à sa fenêtre, Samuel Van Hoogstraten *(1627-1678)*
1653, huile sur toile, 1,11 x 0,865 m, Kunsthistorisches Museum, Vienne

nos soucis, solidifiés par nos ruminations, nous emprisonnent. Et ce trompe-l'œil semble nous dire : « Vois ! Vois comme tes pensées et tes ruminations tromperont ta conscience. Si tu t'y engages, tu t'y enfermeras ; si tu les nourris, elles deviendront solides comme le réel ; si tu n'y prends garde, elles t'emprisonneront. »

Comment se libérer de ces tourments autoproduits ? Comment se désencastrer de ces pièges de notre esprit dans lesquels nous nous enferrons parfois ? Peut-être la solution se trouve-t-elle dans la petite fiole posée sur le rebord de la fenêtre ? Contient-elle une potion magique ? Mais alors, comment l'atteindre ?

« La tourbe des menus maux
offense plus que la violence d'un,
pour grand qu'il soit. »

MONTAIGNE, ESSAIS

La souffrance monopolise la conscience

Il y a d'abord la douleur, physique ou morale. Puis la souffrance, qui est l'impact de la douleur sur la conscience.

La souffrance est la part accessible de la douleur. La douleur en elle-même, qu'elle soit de l'esprit ou du corps, si elle est trop intense, nécessite un traitement médical, appelle un soulagement. Le travail psychologique ne viendra qu'après. Mais il devra venir, il devra être accompli, sinon ce sera l'éternel retour de la souffrance.

Car la souffrance tend naturellement à devenir le centre de gravité de notre conscience, un soleil noir autour duquel tout tourne en rond. L'espace de notre conscience semble se rétrécir autour d'elle, et il n'y a plus de place que pour la douleur, et plus rien d'autre. C'est ça, la souffrance : la douleur qui prend toute la place et empêche le reste des sensations ou des pensées de s'installer durablement. Toute l'énergie de notre esprit est absorbée et consommée par la douleur : plus rien d'autre n'existe.

Douleurs du corps

Beaucoup de nos douleurs physiques ne doivent pas être affrontées avec la seule force de notre esprit. Surtout ne pas avoir le moindre orgueil dans ce domaine : les antalgiques sont souvent ce qui sauvera notre dignité. Sinon nous deviendrons des bêtes de souffrance. Mais après ? Qu'est-ce qui peut nous aider à moins craindre la douleur, à moins nous enfermer dans la souffrance ? La pleine conscience peut-elle nous y aider ? Peut-être… Peut-être pouvons-nous mieux nous préparer grâce à elle. Sans attendre que la douleur soit là, en travaillant à l'avance, et sur des douleurs modérées.

Chez les pratiquants expérimentés de la méditation zen (qui est proche de la pleine conscience), on a montré de longue date que leur résistance à la douleur était améliorée. On a récemment découvert que cette capacité est corrélée à des modifications de leur cerveau, et que cette *neuroplasticité* est liée au nombre d'heures de pratique. Une explication possible est que la méditation, par les positions immobiles prolongées qu'elle impose, et leur cortège de crampes et autres sensations d'inconfort, représente une occasion de confrontations régulières et tranquilles à la gestion des sensations douloureuses minimes.

Je me souviens encore de la première fois que cela m'est arrivé en méditant, un matin, alors que je traversais une période un peu compliquée, rien de méchant, que de la petite adversité ordinaire, mais de la fatigue et du stress. Je m'installe sur mon banc et, en dix secondes, crampe sous le pied gauche. Fulgurante. Première réaction : bouger pour me soulager, rouvrir les yeux, changer de position ; ou même arrêter ma séance, après tout, j'ai tellement d'autres choses à faire, ce n'est pas le jour pour, en plus, en baver... Heureusement, mes patients me sauvent : nous en avons parlé la veille à l'hôpital, de ces histoires, lors du groupe de pleine conscience. Je m'efforce alors de considérer la pensée « bouge, et puis même, arrête et va travailler » et de voir que ce n'est qu'une pensée, pas une nécessité. Je m'efforce de l'accueillir et de la prendre avec recul, comme un phénomène produit par mon esprit. Je fais le choix de ne pas mordre à l'hameçon et de ne pas bouger, désobéissant à mes automatismes («Tu ressens un truc pénible? Écarte-toi!»). Alors, je décide, avant de bouger (l'envie est très forte), de prendre le temps d'examiner la douleur de la crampe. Elle est où, exactement? Elle est stable ou variable? Elle me pousse à faire quoi? Et évidemment, en une minute, elle a disparu. Dissoute.

J'ai beau savoir que ça existe, je suis un peu étonné, presque émerveillé, que ça ait marché, là, ici et maintenant, dans mon propre corps. Toujours l'incroyable différence de nature entre *savoir* et *expérimenter*. Deux univers bien plus éloignés qu'il n'y paraît… D'accord, ça ne marche pas tout le temps. Parfois, il faut vraiment réajuster sa position. Ou arrêter sa séance, si les douleurs sont trop puissantes. Méditer, ce n'est pas du masochisme. Mais quand on peut traverser une souffrance rien qu'en acceptant qu'elle soit là, sans réagir par de l'agitation mais juste par de la conscience, c'est toujours tellement réconfortant! C'est la rencontre entre théorie, intentions, discours, et réalité. Même pour un professionnel, on ne se lasse jamais de découvrir et redécouvrir cela! On se sent en règle, en sécurité et en cohérence : ça marche, je le sais, je l'ai fait…

Si la méditation est une aide pour affronter la souffrance, c'est aussi parce que l'apaisement de l'esprit est antalgique : notre cerveau passe son temps à filtrer de petits messages douloureux pour qu'ils n'importunent pas notre conscience sans arrêt. C'est ce qu'on appelle le

« rétrocontrôle descendant ». Si nous sommes déprimés ou stressés, le cerveau fait moins bien ce travail, et nous avons davantage mal partout. Si nous sommes apaisés, à douleur égale, nous ressentons moins de souffrance. Mais là encore, cet apaisement ne se décide pas un beau jour, lorsqu'on en a besoin ; il se travaille, bien en amont de la survenue de nos douleurs. On ne commence pas à tisser son parachute au moment où les moteurs de l'avion tombent en panne.

Est-ce que cela marche aussi pour les douleurs de notre esprit ?

Douleurs de l'esprit

En nous accrochant à nos pensées douloureuses, en les ruminant, nous les solidifions. Nous leur donnons du corps et de l'importance. Nous ruminons nos maux et nous en faisons des monstres.

La rumination, c'est la solidification du bavardage de l'esprit. D'une réaction banale nous faisons une souffrance. Sans le vouloir. Ainsi, dans nos moments de dépression ou d'anxiété, ce qui nous fait souffrir, au-delà de ce qui nous arrive, ce sont nos pensées et nos croyances, auxquelles nous adhérons et que nous rigidifions jusqu'à en faire des certitudes. Puis, nous nous attachons comme des mères à ces petits monstres que nous avons nous-mêmes engendrés.

Une pensée négative ne nous fait pas mal si elle va et vient. Elle devient douloureuse si elle envahit notre conscience, s'enracine et empêche toutes les autres pensées de s'enraciner ou même d'exister. Et puis, sur le long terme, si on laisse tourner les ruminations trop longtemps dans notre esprit, elles créent des chemins, des voies de ruissellement de la détresse, qui seront très vite empruntés par les démarrages de détresse ultérieurs. D'où ensuite des « impulsions à aller mal », difficiles à contrôler, décourageantes, épuisantes.

Face à l'adversité quotidienne

Mais comment empêcher notre esprit d'aller vers ces souffrances, d'être polarisé par elles ? La seule solution est paradoxale : nous devons donner plus d'espace à la souffrance, pour desserrer son étreinte.

Sur nos détresses et nos souffrances du quotidien, la pleine conscience a un effet. Elle permet d'empêcher que nos soucis – qui le plus souvent sont des incertitudes préoccupantes – ne se transforment en certitudes ; et que nos émotions – qui sont des mouvements – ne se chronicisent et ne se durcissent en passions. Elle permet d'empêcher leur solidification. Elle aide à ne pas rester bloqué, encastré, dans un état mental douloureux.

Sous l'emprise de notre douleur, nous nous emprisonnons nous-mêmes, parfois sans le voir. Or, avant de se libérer de sa prison, il faut d'abord en voir les barreaux. Alors, le premier pas, c'est d'accueillir la réalité de la détresse, d'accepter de la percevoir dans notre corps. D'observer les pensées associées. Et les impulsions qu'elles font naître. Nous n'aimons pas que cette détresse soit là, car elle nous fait mal et nous fait peur. Alors, la petite voix de la pleine conscience nous dit : « Reste avec ça. N'aie pas peur de rester avec ça à ta conscience. Vrai ou faux, ce n'est pas le problème. Le problème, c'est que tu sois capable d'héberger ce genre de souffrances, d'idées, de sentiments, d'états d'âme, sans t'effondrer, sans paniquer, sans te faire du mal… » Exactement ce que dit un proverbe chinois : « Vous ne pouvez empêcher les oiseaux de la tristesse de voler au-dessus de vos têtes, mais ne les laissez pas faire leur nid dans vos cheveux. »

Pour ne pas être victimes consentantes de la rumination, il faut d'abord admettre qu'elle soit là ; ensuite, ne pas la laisser occuper seule tout notre espace mental. Accueillir d'autres invités à notre esprit (déjà pré-occupé par les ruminations) : conscience de la respiration, des sons, du corps ; conscience aussi de toutes les autres pensées qui passent, disparaissent, reviennent… Pour restaurer le libre jeu de nos pensées, permettre leur fluidité, il faut de l'espace, encore de l'espace. Ne pas chercher à chasser nos ruminations ou à ne pas en avoir, leur permettre au contraire d'être là, mais pas seules. Et les diluer dans un contenant plus vaste, pour que leur poids relatif soit moindre.

Puis respirer. Dans le jargon des instructeurs de pleine conscience, on parle de « respirer avec » et « respirer dans ». Ce n'est pas une terminologie très élégante, mais elle est explicite. *Respirer avec* : on continue d'observer nos souffrances tout en plaçant doucement (et patiemment, car la souffrance revient toujours au milieu) notre souffle au centre de notre conscience. *Respirer dans* : on observe l'effet du souffle sur nos souffrances, comme si notre respiration les traversait. En s'entraînant souvent ainsi sur de petites souffrances, de petites adversités, peut-être serons-nous moins démunis le jour où de plus grandes surviendront. Peut-être...

Impermanence de nos souffrances

Au bout de tout cela, il y a la conscience et la pratique de l'impermanence. Qui nous rappelle que rien ne dure, que tout passe. Que s'accrocher en excès à la réalité est une erreur qui amplifie la souffrance. Qui nous chuchote aussi des conseils allant bien au-delà de la « gestion » de la souffrance. Nous avons tous l'espoir fou que ce à quoi nous sommes attachés – proches que l'on aime et biens que l'on *possède* – demeure éternellement à nos côtés. De même, lorsque nous souffrons, désespoir aussi fou : nous avons la conviction que cette souffrance à laquelle nous sommes enchaînés sera, elle aussi, éternelle.

Mais rien ne demeurera. Ni nos jouissances ni nos souffrances. Ni attachements ni emprisonnements. Nous pouvons le comprendre. Nous devons l'expérimenter. En pleine conscience : observer nos objets d'attachement. Et entretenir avec eux un lien différent : pas de renoncement, mais de la fluidité. Ce qui est transitoire n'est pas forcément dérisoire, et il serait fou de prétendre se détacher de tout. Il s'agit juste d'observer comment il est possible de tout traverser, de tout accueillir sans trop s'attacher, et de continuer de vivre et de savourer.

Leçon 15

Une des grandes sources de nos souffrances mentales est le manque de conscience : ne pas réaliser que nous déformons la réalité et adhérer ensuite de toutes nos forces à cette réalité déformée. Les psychothérapeutes parlent de « distorsions » et de « ruminations ». Et savent qu'il faut, d'une part, prendre conscience rapidement que notre esprit se fait piéger ; d'autre part, se désengager de ces pièges. Parfois, on a beau savoir que l'on se fait du mal, on ne peut se détacher de nos obsessions et ruminations. Le message de la pleine conscience est simple : si c'est trop difficile, alors je renonce à expulser les pensées douloureuses par la volonté, et j'élargis plutôt le champ de la conscience à tout le reste de mon expérience de l'instant présent. Ne pas laisser tout l'espace mental à mes obsessions et ruminations, et les diluer dans le plus vaste contenant possible : ma conscience élargie à l'infini.

LÂCHER PRISE

C e n'est pas son corps nu qui nous frappe. Ce n'est pas ce détail étonnant du drap tout blanc, soigneusement déployé sur le tertre caillouteux, d'où commencent à émerger de petites pousses de végétation. Ce n'est pas la position délicate, maladroite et touchante de ses pieds. Non, ce qui nous frappe, c'est son regard, son visage impassible et comme triomphant. Son expression de tranquille certitude. Son regard, qui nous suggère plutôt de poser les yeux sur sa main gauche, sur le rameau d'olivier qu'elle tient comme un trophée, une preuve ou un argument. L'olivier, qui parle de paix et d'espérance.

Derrière elle, une sorte de montagne déchiquetée. À y regarder de plus près, il ne s'agit pas d'un massif rocheux mais de bâtiments en ruines. Et ces clôtures qui parcourent les champs, ce sont des tombes avec leurs pauvres croix.

L'Espérance, Pierre Puvis de Chavannes (*1824-1898*)
1870 - 1871, huile sur toile, 0,705 x 0,82 m, Musée d'Orsay, Paris

Puvis de Chavannes a peint ce tableau un an après la guerre franco-prussienne de 1870, et l'humiliation de son pays dans une défaite éclair, qui précipita la chute du Second Empire. Il l'a appelé *L'Espérance*, et a reçu beaucoup de critiques à son propos. Mais que voulaient ces critiques ? Qu'au lieu du rameau d'olivier, elle brandisse un fusil, pour repartir en guerre, ou une pelle, pour tout reconstruire ?

Indifférente pour toujours à toute idée de revanche, indifférente pour l'instant à toute idée d'action, la jeune fille, sans autre force que son corps mince et nu, prend le temps ; elle prend conscience. Elle éprouve et transmet la conscience des désastres passés et la conscience des nouveaux temps qui viennent.

Et l'on remarque alors sous sa main droite, doucement posée sur le drap blanc, que monte déjà vers le ciel une pousse de chêne.

« Où est donc ma peine ?
Je n'ai plus de peine.
Ce n'est qu'un murmure
au bord du soleil. »

PAUL FORT, CHANSON À L'AUBE

Ne pas se débattre

Lorsque nous avons des difficultés, nous tentons de les résoudre. Nous tentons de les écarter, de les modifier ou de les fuir. Mais il y a des difficultés pour lesquelles ces efforts ne marchent pas : si les problèmes sont en nous (nos pensées ou nos émotions) ou s'ils sont inaccessibles (certaines adversités) ou s'ils n'existent pas encore (nos anticipations). Alors, parfois, il faut juste cesser de s'agiter et de se débattre. Renoncer à nos habitudes face à toute douleur, et admettre qu'elles ne font que compliquer plus encore certaines situations, que les rendre plus confuses et douloureuses.

Lorsque vous marchez dans l'eau sur un sol sablonneux, de petits nuages de sable se soulèvent. Vous voulez que l'eau autour de vos pieds redevienne claire ? Vous savez qu'il est inutile de vouloir aplatir les nuages de sable avec vos pieds ou vos mains : vous ne ferez qu'en soulever d'autres. Et, plus vous essaierez, plus il y aura de nuages de sable et plus l'eau sera trouble. Pas d'autre solution que de vous arrêter, de permettre aux nuages de sables d'être là, et d'attendre qu'ils retombent. Et d'observer à nouveau l'eau claire autour de vos pieds… Les nuages de sable sont les expériences de vie douloureuses. La pleine conscience nous recommande, pour y voir plus clair, de prendre un moment pour nous arrêter de vouloir les contrôler, et de juste les regarder se déposer d'elles-mêmes au fond de l'eau…

La philosophe Simone Weil écrivait ainsi : « Essayer de remédier aux fautes par l'attention et non par la volonté. […] La supplication intérieure est la seule

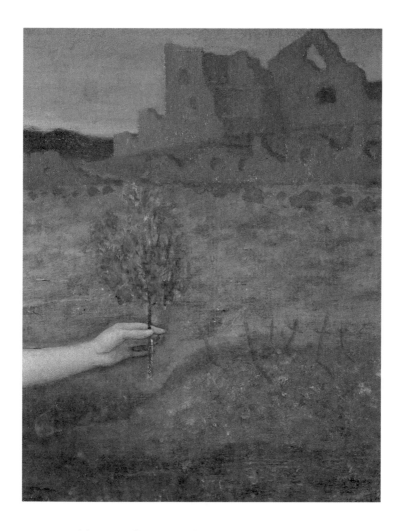

raisonnable car elle évite de raidir les muscles qui n'ont rien à voir dans l'affaire. Quoi de plus sot que de raidir les muscles et serrer les mâchoires à propos de vertu, de poésie ou de solution d'un problème ? »

Mais alors, si c'est non pas l'action mais l'attention qui est la solution, vers quoi la tourner, lorsque nous sommes coincés, comme enlisés au milieu d'un fleuve. Ne plus chercher à avancer, ne plus pouvoir reculer, mais que faire ?

S'arrêter pour respirer

Face aux souffrances, aux détresses, commencer par respirer.

En général, on préfère ruminer ou se tourmenter ; cela nous paraît plus digne et plus réaliste ou plus efficace, quand on est dans ses soucis. Quelque temps après, on comprend que c'était absurde, bien sûr, de s'être tant inquiété. Mais trop tard ; et, en général, on préfère oublier. Et penser à autre chose. En attendant les ennuis suivants où tout recommencera exactement comme avant.

Alors, la pleine conscience nous propose de respirer, de travailler sur notre souffrance lorsqu'elle est là. À ce moment, ne chercher ni à la supprimer, ni à la résoudre, ni même à se sentir bien : juste rester là avec son souffle, comme avec un vieil ami qui ne sait pas encore quoi nous conseiller, mais qui est avec nous, qui reste à nos côtés. Et sa présence, sa belle présence, est peut-être plus importante, finalement, que le problème lui-même…

Notre respiration, en pleine conscience, va avoir peu à peu un effet émollient. Là où la rumination solidifie nos pensées et émotions désagréables, la pleine conscience les ramollit, comme la flamme d'une bougie ramollit la cire. Portons nos expériences désagréables à la lumière et la chaleur de la pleine conscience. Même si nous nous sentons fragiles et démunis, même si nous savons que cela ne changera pas le problème. Pourquoi

Pourquoi vouloir commencer par changer le problème ? Et si parfois nous commencions par changer notre réaction au problème ?

vouloir *commencer* par changer le problème ? Et si parfois nous commencions par changer notre réaction au problème ?

Le refuge de l'instant présent

Lorsqu'on s'arrête pour respirer, même si tout est douloureux autour de nous, on peut se sentir comme dans un refuge. Comme un bateau abrité dans un port ou une baie au cours d'une tempête : tout continue mais on est à l'abri ; un abri imparfait et transitoire, mais un abri. En respirant, on comprend qu'on est vivant, que c'est l'essentiel, que le reste peut attendre, au moins quelques instants.

Prendre refuge dans l'instant présent, ce n'est pas avoir résolu le problème, ni trouvé une solution. Non, les problèmes continuent et la solution ne jaillira pas du souffle ; encore faudrait-il qu'elle existe, d'ailleurs… Les problèmes continuent mais on a trouvé un lieu sûr d'où les observer, sans être obligé de se débattre par peur de finir submergé ou noyé.

Respirer dans l'adversité, c'est placer notre esprit dans un refuge. Pas pour fuir la réalité, pas pour agir, mais pour

choisir de voir plus clair, choisir de laisser de l'espace au calme, choisir de laisser une chance à notre intelligence. Quoi que je fasse, quoi que je pense, le problème est là, il est déjà là. Mais, moi, je suis vivant, je suis présent. Et du mieux que je peux, je vais continuer de l'être. Respirer... Bientôt quelque chose aura changé ; je dois juste accepter de ne savoir ni quoi ni quand.

Leçon 16

Lâcher prise, c'est quoi ? Ce n'est pas fuir le réel par la distraction (« Allez, change-toi les idées ») ou l'autopersuasion (« Détends-toi, tout ira bien ») : ça, nous savons déjà le faire, et parfois d'ailleurs, ça marche. Mais pas toujours. Non, lâcher prise, c'est autre chose, de bien utile aussi : c'est rester là, présent, dans une attitude mentale particulière. Rester là en renonçant à contrôler, à trouver une solution. Mais rester là. Faire confiance à ce qui va arriver. Sans naïveté, mais avec curiosité, sans cesser d'être attentif. Comme un nageur qui interrompt ses mouvements et se laisse porter par le cours du fleuve. Il ne s'agit pas de passivité mais de présence.

RESTER PRÉSENT AU MONDE

l ne se passe rien de particulier. Le paysan laboure, le berger garde ses brebis en bayant aux corneilles, le pêcheur attend que ça morde. Les navires voguent. Au loin, une baie, des îles et des ports. Tout est à sa place. Sauf que… Que contemple-t-il ce berger ? Il y a un homme ailé tout là-haut. C'est Dédale, seul dans les airs. Il tourne la tête vers la droite du tableau, comme s'il cherchait quelque chose, ou quelqu'un.

Dédale vole encore, lui qui a eu la prudence de ne pas trop s'approcher du soleil. Il vient de s'apercevoir que son fils Icare n'est plus à ses côtés. Il le cherche dans le ciel. Fausse normalité des instants d'avant les désastres. Nous cherchons avec lui : rien en l'air, que la lumière éblouissante du soleil brûlant. Plus bas peut-être ? Oui, c'est là : voyez la jambe du pauvre Icare qui dépasse encore un peu des flots.

La Chute d'Icare, Pieter Breughel l'Ancien (entourage ou cercle de) (*vers 1525-1569*)
Vers 1590 - 1595, huile sur bois, 0,63 x 0,80 m, Musée Van Buuren, Bruxelles, Uccle

Il va mourir, noyé ou désarticulé par sa chute. Pour lui, tout est fini. Mais pour tous les autres humains, la vie continue. La vie suit son cours, et c'est ce que nous dit Breughel : tout est comme avant. Personne ne s'intéresse à la mort d'Icare, ni le paysan, ni le berger, ni le pêcheur, pourtant si proche. Et même une fois cette mort connue, quelle différence ? Des morts, des pauvres morts, il y en a tous les jours, et partout. Et la Terre, toujours, continue de tourner.

Un scandale ? Non. Juste un événement, quelques vagues sur l'écume. Et que la Terre continue de tourner, c'est peut-être même une chance. À quoi nous servirait qu'à chaque catastrophe qui nous frappe, le monde s'écroule avec nous ?

« Développe un esprit qui soit vaste comme
l'espace, où les expériences agréables
et désagréables peuvent apparaître et disparaître
sans conflit, lutte ou douleur. Demeure
dans un esprit vaste comme le ciel. »

BOUDDHA, MAJJHIMA NIKAYA

Ne pas perdre le monde

La douleur prend toute la place. Elle envahit notre conscience, ou c'est nous qui nous recroquevillons sur elle. Surtout lors des deuils et des manques : la douleur est reliée à ce que nous avons perdu, et ne plus souffrir, c'est perdre encore plus. Alors, dans le mouvement de repli sur la douleur, il y a à la fois la quête d'une « position antalgique » comme disent les médecins, et aussi un accrochage à ce qui nous reste encore. Mais en réagissant ainsi, par le repli sur nous, notre mal et nos souvenirs, nous sommes en danger : nous sommes sortis du monde. La philosophe Simone Weil parle du « degré de douleur où l'on perd le monde ». Comment, au bout d'un moment, revenir vers lui ? Comment accueillir notre souffrance, sincèrement, puisque nous ne pouvons, et parfois ne voulons pas la chasser, sans cesser de rester en contact avec le monde qui nous entoure ?

Pour que la grande douleur ne nous happe pas hors de la vie, nous avons à travailler avec les petites douleurs. Rester dans le monde lors des abattements et découragements du quotidien. Travailler sur les petites tristesses pour essayer de préparer tant bien que mal le fracas des grandes.

D'abord, élargir notre conscience

Faire que la souffrance ne soit pas seule, que toute notre attention ne soit pas focalisée et recroquevillée sur elle, mais que d'autres éléments existent aussi à notre conscience. Faire une place pour notre respiration. Pour nos sensations corporelles. Les sons qui nous entourent.

Agrandir le contenant, ne pas laisser la douleur occuper tout l'espace de notre conscience. Inviter, inviter en nous tous les bouts de vie qui passent à notre portée.

Puis observer nos pensées. Focalisées, elles aussi, sur la douleur. S'asseoir, fermer les yeux, respirer et prendre alors le temps de voir vers quoi nous pousse notre détresse : vers quels replis, vers quels isolements. Continuer de respirer, de ressentir, d'exister. Ne pas bloquer sa respiration pour ne pas bloquer sa vie autour de la tristesse et de la souffrance.

Certaines tristesses seraient passées toutes seules ? Oui, sans doute. Peut-être aussi vite qu'avec cette démarche. Mais une souffrance digérée en pleine conscience n'aura pas laissé le même sillon pour la prochaine souffrance. Elle ne sera alors qu'un souvenir désagréable, et non une petite bombe à retardement.

Consolations

La solitude de la souffrance est réelle et absolue : personne ne peut souffrir à notre place, personne ne peut prendre une once de notre douleur. Alors, c'est impossible de nous aider ? Il n'y a pas de consolation possible ?

Non, c'est plutôt que nous ne pouvons pas, nous ne voulons pas écouter la consolation. En général, nous n'écoutons pas les consolations, parce que nous sommes persuadés d'avance qu'elles ne servent à rien. C'est vrai qu'elles ne servent à rien, si ce que nous voulons c'est que tout revienne comme avant, que le problème disparaisse : que l'accident n'ait pas eu lieu et que les morts revivent. Si ce que nous voulons, c'est une réparation, la consolation ne sert à rien. Mais si nous arrivons à comprendre que toute réparation est impossible, et qu'il n'y a pas de solution à notre souffrance, alors la consolation, si nous arrivons à l'écouter, nous apprendra autre chose : qu'il continue d'exister, à côté de nos souffrances, une vie prête à nous accueillir.

Et si nous faisons ces efforts, nous découvrirons que, derrière les consolations, il y a la compassion. Elle n'est pas un médicament de la catastrophe, juste une bouée, un encouragement à vivre malgré tout. Mais elle élargit notre conscience au fait qu'il y a aussi de l'amour et de l'affection autour de nous. Elle nous délivre un message humble : parfois, tout ce qui reste possible à nos proches, c'est l'impuissance et la présence. Ils sont impuissants à *réparer*, mais présents pour nous rappeler de rester vivants et humains : ne deviens pas un animal de douleur, ne te détruis pas, ne te durcis pas, ne quitte pas le monde. Reste vivant...

Continuerons-nous de pleurer ?

Dédale va-t-il renoncer pour toujours à voler ? Ou continuera-t-il de voler en songeant à son fils ? Va-t-il continuer d'admirer la course du soleil et des nuages, la beauté de la terre et de la mer, le dessin délicat de l'écume sur la côte ? Ou choisira-t-il de rester prostré et de pleurer pour toujours ?

Vole, Dédale, vole et fais voler le souvenir de ton fils... Continue de vivre et de voler. Que peux-tu faire d'autre ? Et, quand tu voles, ne cherche pas à étouffer ou à réprimer ton chagrin. Ouvre juste ton esprit au ciel immense. Accueille intensément en toi cette beauté qui glisse sous tes ailes. Sois présent de toutes tes forces au spectacle du monde. N'aie pas peur d'héberger ton chagrin pendant ton vol. Vois ce que voyait ton fils. Ressens ce qu'il ressentait. Respire pour lui. Souris pour lui. Pour lui, aime le monde.

Cette vie qui continue, cette vie qui t'offense, c'est elle qui sera ta planche de salut. Tout est là. Icare est là. Et il vole. Avec toi.

Leçon 17

Quand on souffre beaucoup, qu'on est très malheureux, on se coupe du monde. On ne lui trouve plus d'intérêt, et il nous semble indifférent, presque offensant. Mais il va pourtant, à sa manière, nous aider ou nous sauver. Plus on souffre et plus on doit s'assurer de rester en lien avec tout ce qui nous entoure. La souffrance est toujours aggravée et prolongée par la rupture et l'éloignement, la rétraction sur nous-mêmes. Entraînement : lorsque je me sens malheureux, continuer de rester sensible à la beauté du monde. Même si elle ne me soulage pas, même si elle ne m'aide pas tout de suite. À un moment, tout basculera et elle me sauvera.

AVANCER,
MÊME BLESSÉ

S i l'on ne fait que jeter un coup d'œil en passant, ce tableau dépeint une scène douce et champêtre : une jeune fille allongée dans l'herbe regarde tranquillement un groupe de bâtisses juchées en haut d'une colline.

Mais si l'on s'arrête un instant, on sent que quelque chose ne va pas : l'herbe est roussie, comme une steppe infernale, la maison est trop loin, trop sombre. Et puis, la jeune fille dégage quelque chose de bizarre, elle aussi… Alors, on la regarde de plus près, on cherche d'où vient notre malaise : sa position n'est pas tout à fait normale. Pas tout à fait celle de quelqu'un qui s'accoude et regarde nonchalamment le paysage. C'est plutôt la position de quelqu'un qui se traîne par terre. Et puis, ces bras trop maigres, ce coude maladif, ces plaques sur sa peau, et cette main gauche agrippée à l'herbe, gonflée et déformée… Que se passe-t-il ? Que nous

Christina's World, Andrew Wyeth (1917-2009)

1948, détrempe sur enduit, 0,819 x 1,213 m, Museum of Modern Art, New York. Détails pages 215 et 220-221.

montre-t-on ? Voici l'histoire de ce tableau : la jeune femme qui est représentée est malade, et paralysée. Elle n'est pas en train de rêver, mais de rentrer chez elle en rampant, car elle refuse les béquilles et les fauteuils roulants. Et ce n'est pas une jeune fille, mais une femme de cinquante-quatre ans. Wyeth, le peintre, la connaissait bien : c'était Christina Olson, une de ses voisines qui habitait le village de Cushing, dans l'État du Maine.

Alors, on comprend un peu mieux la raison de notre inconfort. Le tableau nous montre une détresse secrète, une solitude et un chagrin voilés. Il nous parle aussi d'un refuge à l'horizon, dont il faut se rapprocher de notre mieux. Et il pose enfin la question d'un choix qui se présente souvent dans nos vies : renoncer ou avancer ? Ramper, et avancer, même blessé…

« Ne pas chercher
à ne pas souffrir ni à moins souffrir,
mais à ne pas être altéré
par la souffrance. »

SIMONE WEIL, La Pesanteur et la grâce

Blessures cachées

Il y a les blessures physiques, visibles. Et il y a les blessures de l'âme, les fragilités issues des carences ou des drames du passé, invisibles mais inscrites dans nos esprits et dans notre chair. Quelquefois conscientes, quelquefois dormantes, ces fragilités font de nous des humains entre deux mondes : l'apparente normalité et l'anormalité secrète.

Longtemps, nous avons rêvé qu'elles n'existent pas, ces blessures, ces faiblesses. Puis nous avons rêvé qu'elles disparaîtraient peut-être : avec la vie, avec l'amour, avec le temps. Et aujourd'hui, malgré les efforts et les années, nous devons nous l'avouer : elles sont encore là. Pour longtemps. Peut-être pour toujours.

Alors, nous apprenons à les oublier, à ne plus y penser, à faire comme si. Et ça marche, en général. Puis, de temps en temps, sous l'effet des secousses du stress ou de la tristesse, tout se réveille, les fantômes ressortent du placard.

Le réveil des vieux démons

Lorsqu'on a souffert de dépression ou d'anxiété, ou d'autres troubles émotionnels, les cicatrices sont dormantes. Nous ne sommes finalement qu'en rémission. Parce que le temps a passé, parce que nous avons changé. Parce que la vie s'est adoucie. Mais lorsqu'elle se durcit, alors les failles se rouvrent, et revient le sentiment qu'on pourrait très bien s'effondrer, comme ça, devant tout le monde. Ces instants où nous sommes de nouveau aspirés du côté de tout ce qui ne va pas en nous sont des croisements : nous pouvons encore agir et faire face. Bien plus que nous ne le pensons.

C'est pour cela qu'on a importé les pratiques de méditation de pleine conscience dans le monde de la psychothérapie : pour favoriser ce qu'on appelle la « prévention des rechutes ». Les thérapies traditionnelles, comme la psychanalyse, et leur réflexion approfondie sur les sources de nos souffrances, n'y suffisaient pas. Les thérapies plus nouvelles, comme les thérapies cognitives et comportementales, y arrivaient un peu mieux, mais imparfaitement. Alors, on a proposé d'ajouter le travail de la pleine conscience à toutes ces démarches et à toutes ces solutions. Il semble à ce jour que cela soit une bonne idée : chez celles et ceux qui pratiquent la pleine conscience, les rechutes semblent plus espacées, moins violentes.

Prendre conscience de la réactivation des pensées de détresse, sous l'effet des pressions et des bousculades du quotidien, permet de ne pas leur obéir, ou pas totalement. Et de faire un vrai choix : celui de les entendre et de passer outre. Celui d'avancer et de faire des efforts, même si elles nous murmurent que c'est inutile, même si elles nous disent que c'est au-dessus de nos forces, même si elles nous hurlent d'arrêter de faire ces efforts. Surtout ne pas leur obéir.

La pleine conscience nous aide à ne pas nous laisser intimider par ces ordres venus du fond de nous-mêmes. En la pratiquant lorsque nous n'allons pas bien : nous plaçons nos découragements et inquiétudes dans un espace de pleine conscience. Mais en pratiquant aussi lorsque nous n'allons pas trop mal : nous affrontons les vaguelettes pour mieux faire face aux tempêtes…

Mètre après mètre, instant après instant

Et puis, ne pas rester les bras baissés. Il y a des alliés à la pleine conscience : l'action, par exemple. On peut faire comme lors d'une marche épuisante, quand nous saisit la tentation de l'arrêt, alors que s'arrêter n'est pas possible : baisser doucement la tête, et avancer pas après pas, mètre après mètre. On peut agir et avancer même si on n'est pas sûr que ce soit utile, même sans certitude, et désobéir aux ordres d'impuissance qui déferlent. Sentir ces vieux automatismes surgis du passé qui tentent de reprendre le pouvoir. Et continuer quand même.

Surtout, ne pas se couper du monde. Relever la tête, s'imprégner de tout ce qui existe autour de nous. Voir l'assaut des pensées de découragement et d'effondrement, mais ne pas rester enfermé avec elles en dedans de soi : ouvrir en grand les portes et les fenêtres du mental sur le monde qui nous entoure.

Avancer jusqu'au refuge, là-bas

Tout à l'heure, Christina arrivera chez elle. Elle s'assiera sur le seuil et regardera le soleil couchant, comme chaque soir. Elle se sentira heureuse d'exister malgré tout. Heureuse malgré sa paralysie, sa fatigue, ses mains qui lui font mal et la tristesse indicible qui presque toujours baigne sa vie. Le peintre lui demandera s'il peut faire un autre portrait d'elle, assise là, sur le seuil, face à la lumière, et elle lui dira oui. Elle regardera le soleil, encore une fois. Elle sentira sa respiration s'apaiser. Elle aura un soupir, puis un sourire. Et cet instant sera parfait.

Leçon 18

Parfois, on va tellement mal qu'on doit se réfugier dans l'action seule, redevenir des bestioles, produisant inlassablement des efforts pour survivre. Sans réfléchir. Parce qu'on sait que la réflexion sous l'emprise du malheur peut produire encore plus de malheur et d'aveuglement. Alors, juste agir : savoir en gros ce qui est bon ou nécessaire pour nous, tout de même, c'est-à-dire avoir un peu réfléchi avant ! Puis agir, avec une humilité totale. Le faire parce qu'on sait que cela va nous aider à survivre. Aller marcher, jardiner, ranger, bricoler, travailler. Agir non pas pour s'évader ou se sentir soulagé, mais parce qu'on ne peut rien faire d'autre et que, si on ne fait rien, on coule. Ce n'est ni drôle ni valorisant, mais il y a aussi des moments comme ça dans nos vies.

CONSENTIR AU
MYSTÈRE

D ans le dortoir nord du couvent San Marco, à Florence, une fresque étrange et magnifique couvre le mur de la cellule 7. C'est l'une des œuvres d'art les plus étonnantes et les plus déstabilisantes que j'ai pu contempler.

Dans une atmosphère onirique et irréelle, dans une ambiance de paix surnaturelle, le Christ, aveuglé par un bandeau sur les yeux, est molesté : non par de vrais personnages, mais par des coups et des crachats, des violences et un bâton, par d'étonnantes offenses abstraites en suspension dans l'air. Jésus est molesté mais il est en majesté : il est assis sur un trône, porte un sceptre de roseau et un globe de roi du monde. Comment peut-on à la fois être humilié et triomphant ?

Marie, sa mère, et saint Dominique sont à ses pieds. Elle est réfugiée dans une tristesse profonde et songeuse. Il lit. Ils sont comme ailleurs. Mais pas indifférents à Jésus : si Marie

**La Dérision du Christ avec la Vierge et saint Dominique
(Le Christ aux outrages),** Fra Angelico (v. 1400-1455)

1438, fresque, 1,87 x 1,51 m, Musée de San Marco, Florence se fait du souci, c'est pour lui. Et ce que Dominique lit, c'est sans doute sa vie racontée par les Évangiles. Pas indifférents à Jésus, donc, mais à ses épreuves, apparemment. Ils ne l'ont pas abandonné, ils restent reliés à lui : Marie par ses pensées, Dominique par sa lecture. Mais ils ne cherchent ni à l'aider ni à compatir. Pourquoi ?

Dans la lumière claire de la fresque, il n'y a pas grand-chose à quoi notre logique puisse se raccrocher : tout nous semble obscur. Nous ne pouvons dans l'immédiat que nous résoudre à ne rien comprendre. Mais n'est-ce pas déjà comme cela, bien souvent, dans nos vies ? Même si nous voulons nous persuader du contraire...

« La vérité est une terre
sans sentiers. »

TIZIANO TERZANI, LE GRAND VOYAGE DE LA VIE

Bousculés, aveuglés et humains

Comme Jésus sur la fresque, nous pouvons être submergés et suffoqués, dépassés par la violence de ce qui nous tombe sur la tête. L'expérience du désespoir est aveuglante : elle rétrécit notre vision et notre horizon au seul déluge d'adversité qui s'abat sur nous. Elle est aussi déshumanisante : nous devenons des animaux de douleur, des aliénés de la souffrance. Plus aucun lien avec le monde n'est possible : les grandes douleurs isolent, bloquent et figent. Elles entraînent une noyade intérieure en plus des drames extérieurs. Et des vies fracassées au dedans comme au-dehors.

Alors, de toutes nos forces, il est important de rester des humains sensibles. De se raccrocher à notre humanité, à ce qui la réveille autour de nous : la nature, la beauté. Encore et toujours ouvrir notre esprit à autre chose que nos souffrances. Pas pour masquer l'adversité, pas pour l'oublier, mais juste pour qu'elle ne règne pas en maître absolu dans notre esprit comme dans notre vie. Comme dans ce passage du livre d'un rescapé du camp de Dachau, le psychiatre autrichien Viktor Frankl : « Il arrivait, tel soir où nous étions couchés sur le sol en terre battue de la baraque, morts de fatigue après le travail de la journée, nos gamelles de soupe entre les mains, que, tout d'un coup, un camarade entre en courant, pour nous supplier de sortir sur la Place d'Appel, uniquement pour ne pas manquer, malgré notre épuisement et malgré le froid du dehors, un merveilleux coucher du soleil… » Ce ne sont pas des fuites, ni des mécanismes de défense psychologique pour échapper à l'horreur. Ce sont juste des actes de conscience et de suprême intelligence : au moment où les flots de la mort les entourent, ces humains tournent leur esprit vers ce qu'il y a aussi de beau dans le monde. Ils traversent l'impuissance, sont égarés et dépassés. Mais ne renoncent pas à leur humanité.

« Trois capacités négatives »

Dans une célèbre lettre qu'il adresse à ses frères le 22 décembre 1817, le poète anglais John Keats les incite à cultiver ce qu'il nomme des « capacités négatives ». Il y voit une forme de maturité et d'achèvement psychologique : « Plusieurs choses s'emboîtèrent dans mon esprit et, à l'instant, je fus frappé par la qualité qui contribue à former un homme accompli, particulièrement en littérature et que Shakespeare posséda si grandement – je veux parler de la capacité négative, lorsqu'un homme est capable d'être dans l'incertitude, les mystères, les doutes sans courir avec irritation après le fait et la raison. »

L'incertitude, le mystère et le doute… Comment cultiver la capacité à tolérer en soi la perte de contrôle et de repères, sans vouloir aussitôt se raccrocher à du concret et du rationnel ?

Tolérer l'incertitude ? L'incertitude est source d'angoisses : toute forme d'anxiété peut être au fond ramenée à une intolérance à l'incertitude ; et c'est pourquoi l'avenir et la mort nous tourmentent, puisque ce sont les deux plus grandes incertitudes. Nous essayons dans nos vies de limiter ce qu'il y a d'incertain : en prenant des assurances et des précautions, en procédant à de multiples vérifications ; avec le risque de nous épuiser ainsi en protections, de barricader notre vie. Nous tentons de remplir notre esprit de certitudes. Mais sans vraiment nous rassurer : nous savons bien, au fond de nous, que c'est vain, tous ces efforts ; que nos incantations et nos supplications ne sont que de pauvres gesticulations. Car la vérité est la suivante : il y a dans nos vies des problèmes insolubles et nous devons les accepter. Les accepter, puis ne pas nous crisper sur eux. Continuer de vivre et d'avancer, avec cet insoluble dans la besace.

Tolérer le doute ? Tolérer de ne pas savoir que penser, ni que faire ? Renoncer à ce besoin de se raccrocher à des jugements ou à des actes, au prêt-à-penser inefficace mais rassurant ? Renoncer à choisir, ou renoncer à ce que nos choix soient à coup sûr les bons ? Souvent, il n'y a pas, pour nous, d'autre solution que de se dire : «Je ne sais pas, je ne peux pas savoir, je ne peux que douter.» Mais que ce doute ne nous empêche pas de choisir et d'agir s'il faut le faire. Ni de vivre ensuite, autrement que dans de nouveaux doutes encore, portant non plus sur le *que faire ?* mais sur le *ai-je bien fait ?*

Tolérer le mystère ? Tolérer quelque chose d'incompréhensible, qui nous dépasse ? Cela nous paraît un peu plus facile, car nous sentons que le mystère, c'est hors de notre portée. Alors, on l'accepte mieux. Mais le mystère n'est pas le chaos : derrière lui, il existe peut-être une logique, une solution, un sens. Alors, on se questionne. À l'infini. Dans le mystère du malheur, de la souffrance, de l'injustice, il n'y a souvent que des questions : pourquoi ? Et pas de réponses. Ça vaut mieux. Parce que, lorsque les réponses arrivent, elles sont dangereuses, elles sont de fausses certitudes durcies dans le bain du malheur : «Je suis maudit, incurable et il n'y a pas d'issue.» Mieux vaut pas de réponse que ce genre de réponses. Et mieux vaut peut-être, dans certaines détresses, apprendre à ne pas se poser de questions dans le feu de la souffrance.

Mieux vaut, peut-être, respirer et ouvrir son esprit.

L'instant présent et le chaos

Que pouvons-nous faire dans l'adversité, nous qui ne sommes pas capables de certitudes christiques ? Nous réfugier dans l'instant présent. Nous entraîner à héberger le sentiment de ne pas savoir, de ne pas pouvoir, de ne pas comprendre. Observer comme il est inconfortable. Comme il tente de nous suffoquer d'ondes de détresse et d'impulsions désordonnées : «Secoue-toi, fais quelque chose, ne reste pas comme ça.» Cultiver et développer notre tolérance à cette expérience. Comme lorsque nous écoutons un ami : il faut savoir, à certains moments, l'écouter sans se sentir obligé de résoudre ses problèmes ou de trouver des solutions pour lui. Il s'agit de se libérer de cette *pression de la solution* qui risque de nous faire mal l'écouter. Faisons de même lorsque nous nous penchons sur nos propres soucis : envisageons doucement dans quel état nous nous trouvons, ici et maintenant, avant de nous crisper sur la nécessité de prendre le contrôle ; cela viendra plus tard…

Il est important aussi de bien voir ce renoncement à comprendre et à maîtriser comme une libération et un choix, non comme une défaite et une obligation. Renoncer à maîtriser, vraiment, et non renoncer en gémissant, en regrettant. Renoncer avec son mental et avec son corps. Renoncer corps et âme. Et non pas renoncer avec le corps (se *résigner* à ne rien faire) tout en gémissant avec l'esprit. Sentir combien ce renoncement est apaisant.

Attention : sans doute cette attitude ne doit pas toujours être première. Sans doute faut-il, parfois ou souvent, d'abord chercher des solutions. Mais si on n'en trouve pas ou si, malgré elles, tout revient et tout recommence, c'est que le chemin vers la sortie se trouve ailleurs.

Mon intelligence et ma raison sont des lumières pour éclairer et comprendre mes problèmes, pour m'aider à trouver des solutions. Mais, parfois, ces lumières ne suffisent pas et peuvent au contraire m'emprisonner et me dissimuler d'autres voies. Quand il brille, le soleil nous donne le sentiment de nous révéler l'intégralité de ce qu'il y a à voir ici-bas. Mais lorsqu'il s'éteint et qu'arrive la nuit, nous comprenons tout à coup, devant l'immensité étoilée, qu'il y avait d'autres choses à voir, que nous masquait la lumière même du soleil.

Leçon 19

Se trouver en position de faiblesse et d'impuissance, personne n'aime ça. Mais on n'a pas toujours le choix. Alors, peut-on s'y préparer ? Peut-être... En pratiquant les exercices de pleine conscience régulièrement, on sera, tout aussi régulièrement, confronté à un mental qui n'en fait qu'à sa tête, à des émotions ou des sensations qui nous font du mal. Mais en décidant de rester là, malgré tout, en restant dans l'exercice malgré l'inconfort et le désordre, on va acquérir une capacité précieuse : celle de tolérer ce sentiment d'être débordé et sans contrôle. Apprendre à rester là malgré la souffrance, ce n'est pas une question de masochisme. Ce n'est pas aimer souffrir, c'est accepter que cela puisse arriver dans le cours d'une vie. Et s'y être, un petit peu, préparé.

VOIR ÉMERGER DOUCEMENT LE BONHEUR

C'est comme une promesse qui émerge douce-ment du lointain, une merveille que l'on observe en s'approchant depuis la lagune. Cette cité qui sort des limbes, c'est Venise. Bientôt nous y serons, bientôt nous poserons nos pas sur son sol fragile, bientôt nous la découvrirons et la parcourrons tout entière, magnifique dans sa beauté qui meurt. Le soleil semble nous accueillir, dans une ultime expansion de lumière et de chaleur. Il inonde d'un fabuleux jaune doré le ciel de la lagune.

Déjà, la lune se lève à l'horizon, dans le coin gauche du tableau, amenant avec elle un peu de fraîcheur, et le bleu bientôt sombre de la nuit. Le soleil et sa lumière ne seront plus là lorsque nous accosterons. Alors cet instant nous trouble et nous fait frémir. Nous avons eu tant de bonheur à vivre ce jour, tant de bonheur à ce splendide crépuscule. Que va-t-il se passer maintenant, si le soleil se retire ?

Approach to Venice, Joseph Mallord William Turner (*1775-1851*)
1844, huile sur toile, 0,62 x 0,94 m, National Gallery of Art, Washington, Andrew W. Mellon Collection

« À chaque seconde nous entrons au paradis
ou bien nous en sortons. »

CHRISTIAN BOBIN

Le bonheur comme un acte de conscience

Tout commence par le bien-être. Avoir le ventre plein, être au calme, au chaud, sans menaces. C'est déjà parfait, c'est déjà merveilleux de se sentir ainsi. Ce bien-être élémentaire est commun à tous les animaux, à tous les vivants, dont l'être humain. Il est possible d'en rester là. Mais il ne s'agit pas vraiment de bonheur, car ce que l'on nomme bonheur va bien au-delà.

Si l'on prend conscience de ces instants de bien-être, si l'on se dit « ce que je vis est une chance, une merveille, une grâce », alors il se passe autre chose. Alors, le bien-être se transcende en bonheur. Si j'ouvre mon esprit et si je savoure de toute ma conscience ce qui m'arrive de bon, si je me rends présent, alors l'impact sur moi de cet instant sera infiniment plus fort. Il dépassera le simple stade de la satisfaction de mes besoins physiques et psychiques. Il sera capable de satisfaire ou d'apaiser mes aspirations et mes démangeaisons métaphysiques : sens, appartenance, amour, paix, éternité…

Sans conscience, pas de bonheur. Ou alors, juste des bonheurs rétrospectifs, comme dans ce vers célèbre de l'écrivain et poète Raymond Radiguet : « Bonheur, je ne t'ai reconnu qu'au bruit que tu fis en partant. » Sans conscience du présent, nous regretterons les bonheurs passés que nous n'avons pas su vivre. Bonheurs mort-nés auxquels nous n'avons pas donné vie par notre conscience. C'est ce qui nous arrive quand l'existence nous bouscule, quand nous avons tant de choses à faire que nous ne prenons pas le temps d'ouvrir les yeux sur toutes les propositions de bonheur qui croisent notre chemin. Ce qui nous arrive aussi lorsque nous sommes tristes ou inquiets : nous n'habitons plus le présent et notre esprit prend demeure dans l'inquiétude de l'avenir ou les regrets du passé. Et le bonheur, nous ne pouvons alors que l'espérer ou le pleurer, et non plus l'éprouver.

La pleine conscience peut nous aider à savourer plus intensément encore la multitude de *propositions* de bonheur que nous offrent nos journées. Si nous les traversons avec l'esprit ailleurs (dans nos projets, nos pensées, nos soucis), nous ne verrons rien et ne ressentirons rien. Si régulièrement nous ouvrons notre esprit et notre conscience à tout ce qui nous entoure, sans les chercher, nous les verrons. Sans le vouloir, nous serons touchés par leur grâce. Et souvent, nous serons heureux, même par petits bouts. Parenthèses de bonheur dans le cours de nos jours, légères, brèves, imparfaites et incomplètes, mais multiples, changeantes, vivantes et renouvelées. Vies saupoudrées de petites poussières de bonheur. Vies heureuses par petits morceaux : vies heureuses, simplement.

La conscience et le bonheur subtil

La prise de conscience, qui fait naître en nous le bonheur, est aussi ce qui va provoquer la peur de le perdre. Lorsque nous sommes heureux, nous avons clairement conscience que bientôt nous ne le serons plus : nous sommes des intermittents du bonheur, et ce dernier ne fera, tout au long de notre vie, qu'apparaître et disparaître. L'enjeu n'est pas de s'accrocher pour le retenir, de s'inquiéter ou de s'affliger à l'idée de son départ prochain, mais de le savourer, d'accepter ses éclipses et de rester prêt à ses retours, à ses passages, même fugaces.

Les pessimistes et les inquiets le supportent mal et préfèrent parfois ne pas s'abandonner au bonheur et à tout ce qu'il y a de bon dans nos vies, parce qu'ils savent que cela ne durera pas. Ils ont raison : ça ne durera pas. Et alors ? C'est bien parce que le bonheur va nous quitter qu'il faut le savourer, non ? Le choix nous est offert entre être heureux puis ne plus l'être, ou ne jamais s'abandonner à l'être. Entre la respiration du bonheur, ou un dolorisme crispé pour se défendre et du bonheur et de sa perte. En ce qui me concerne, le choix est fait…

La science nous montre qu'en prenant conscience que nous vivons des moments heureux pour la dernière fois, notre bonheur de les vivre ne diminue pas mais se complexifie. Il devient plus dense, plus grave, plus lucide. Mais il reste du bonheur. Du bonheur subtil, qui a intégré le tragique de la vie, sans le nier mais sans se laisser affliger par lui. Le bonheur, une idée tragique ? Évidemment !

Bonheur au sein du malheur

Pourquoi le bonheur devrait-il toujours être du côté de l'insouciance ou de l'inconscience ? Pourquoi ne pourrait-il pas se trouver aussi là où on a besoin de lui ? Du côté du tragique de la vie. Dans la pleine conscience, on s'entraîne à tout accueillir, douleurs et douceurs, à supporter et à héberger des expériences compliquées, subtiles, déconcertantes. Comme dans la vie, la vraie. Pas celle dont nous rêverions mais celle que nous habitons, celle qui s'impose à nous et déniaise nos rêves. C'est tant mieux, d'ailleurs, qu'elle s'impose à nous : c'est cette vie-là qui est la plus intéressante.

Face au bonheur, une fois de plus, la méditation ne pousse pas à s'évader du monde, mais à mieux l'accueillir dans sa réalité. Et la réalité, c'est que bonheur et malheur sont presque toujours au coude à coude. Ombre et lumière. C'est sans doute pour cela qu'Albert Camus écrivait : « Ce n'est plus d'être heureux que je souhaite maintenant, mais seulement d'être conscient. » Nous allons essayer de concilier les deux, et de cultiver notre conscience non pour remplacer, mais pour éclairer notre bonheur. Pour le densifier, l'insérer dans le monde. C'est ce qu'André Comte-Sponville nomme de son côté la « sagesse » : « Le maximum de bonheur dans le maximum de lucidité. »

Je me souviens d'une belle étude où l'on montrait que les personnes endeuillées capables de sourire en évoquant leur conjoint disparu (« Quelle souffrance de l'avoir perdu, mais quel bonheur de l'avoir connu ») étaient aussi celles qui allaient le mieux deux ans après. Parce qu'elles s'étaient montrées capables de ne pas laisser le bonheur se noyer dans le malheur. Capables de comprendre que la vie, c'est tout ensemble. Et que le malheur n'annule pas les bonheurs passés, ni ne nous les retire : ces bonheurs que nous avons vécus nous restent acquis pour l'éternité. On a bien le droit de pleurer et de sourire en même temps. C'est parce qu'on accepte le monde, et qu'on décide de l'aimer de toutes ses forces.

Comme on aime de toutes nos forces Venise, qui agonise depuis des siècles et disparaîtra bientôt sous les flots.

Dans la tristesse, nous arrêter et consentir à de tout petits bouts de bonheur. Même brefs, même tristes eux-mêmes, même incomplets, même imparfaits, même fragmentaires.

Comme on aime de toutes nos forces Etty Hillesum, enfermée dans le camp de Westerbork, sinistre prélude aux camps de la mort, et qui écrit : « La vie et la mort, la souffrance et la joie, les ampoules des pieds meurtris, le jasmin derrière la maison, les persécutions, les atrocités sans nombre, tout, tout est en moi et forme un ensemble puissant, je l'accepte comme une totalité indivisible. »

Comme on aime de toutes nos forces Evguénia Guinzbourg, dans la salle du tribunal soviétique où elle a été traînée sans rien comprendre de ce qu'on lui reprochait, et qui regarde tout de même au-dehors, attendant son éventuelle condamnation à la mort ou au goulag : « Par-delà les fenêtres se dressent de grands arbres sombres ; j'entends avec émotion le murmure secret et frais des feuilles. Je crois l'entendre pour la première fois. Que ce bruissement des feuilles me touche ! »

Summum de pleine conscience et summum d'humanité. Nous n'en sommes pas capables, sans doute. Mais nous pouvons nous en inspirer. Dans la tristesse, nous arrêter et consentir à de tout petits bouts de bonheur.

Même brefs, même tristes eux-mêmes, même incomplets, même imparfaits, même fragmentaires. Ne pas en attendre de réconfort autre que labile et immédiat : dès que l'on se remettra à vivre et à penser, le malheur se réinstallera peut-être. Mais nous recommencerons un peu plus tard. Et encore ainsi. Inlassablement.

Toujours nous recommencerons à faire respirer notre malheur auprès de tout ce qui ressemble à de la vie, c'est-à-dire à du bonheur.

Leçon 20

À propos du bonheur, la pleine conscience nous apprend simplement ceci : comme le bonheur est indissociable du malheur, comme la vie ne manquera pas de nous confronter au tragique et au désarroi, autant ne pas rêver d'un bonheur parfait et permanent. Mais apprendre à le savourer par petits bouts : lui laisser une place malgré les tracas et les soucis, au milieu d'eux et non une fois qu'ils seront enfuis ou que les problèmes seront réglés (sentir un beau jour que tous nos problèmes sont réglés, ça n'existe pas, surtout si nous sommes des inquiets ou des mélancoliques). Préserver nos petits bonheurs, même dans l'adversité. Surtout dans l'adversité : c'est là qu'ils sont les plus touchants, les plus magnifiques, les plus indispensables.

4.
OUVERTURES
ET ÉVEILS :
LE PLUS GRAND
DES VOYAGES

« Aujourd'hui, ton corps est plus vrai
que ton âme ; demain, ton âme sera
plus vraie que ton corps. »

GUSTAVE THIBON, L'ILLUSION FÉCONDE

TRAVAILLER

C e que nous voyons n'existe pas, ou du moins pas comme ça. Le tableau ressemble à un « éclaté » d'architecte où des murs ont été enlevés pour mieux nous montrer les entrailles d'une immense bâtisse gothique. Pour nous en dévoiler les secrets et la structure. Notre regard parcourt trois strates concentriques.

Au centre, saint Jérôme à sa table de travail. Ce n'est pas sa sainteté qui est ici mise en avant, mais plutôt son érudition, par tous les manuscrits qui l'entourent, et son humanité, au travers de détails touchants : les chaussures qu'il a enlevées pour monter sur son estrade, le chat qui dort à ses côtés. Autour de lui, la coque du grand bâtiment évoque un monastère. C'est une structure austère qui le protège des distractions, mais où la vie, tout de même, pénètre. Voyez sur la droite, dans le déambulatoire du cloître, ce lion rôdant

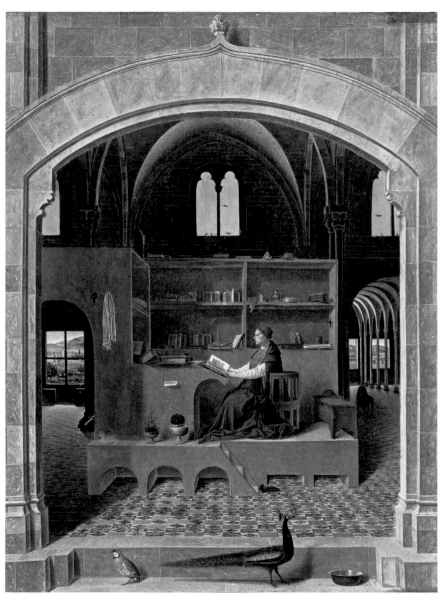

Saint Jérôme dans son cabinet de travail, Antonello da Messina (*vers 1430-vers 1479*)

Vers 1475, huile sur bois, 0,457 x 0,362 m, National Gallery, Londres dans l'ombre. On raconte que Jérôme avait guéri l'animal blessé, qui le suivit jusqu'au monastère, où on l'adopta.

La troisième strate alentour s'ouvre sur le monde. En avant du tableau, vers le spectateur, un vaste portique, et sur ses marches, une perdrix et un paon. Sur l'arrière, de grandes fenêtres dévoilent des paysages campagnards et une ville dans le lointain, tandis que d'autres s'ouvrent sur le ciel et des oiseaux en vol.

Le travail intérieur et le monde extérieur ; entre les deux, un cadre rassurant mais ouvert. Voilà ce qui me séduit dans ce tableau, ce que je suis tenté de lui faire dire, et comment j'aime le lire pour qu'il serve mon propos. Devant ce saint Jérôme, je pense à la pratique de la pleine conscience, avec ses alternances régulières de repli méditatif sur soi et d'ouvertures au monde. Et de travail patient et régulier…

«Tout commence en nécessité
et tout doit finir en liberté.»

MAURICE ZUNDEL, VIE, MORT, RÉSURRECTION

L'entraînement de l'esprit

D'où nous vient donc cette tendance étonnante à croire que nous sommes les maîtres de notre esprit ? Et à tenir pour évidentes et acquises nos capacités d'attention et de conscience, sans qu'il soit besoin de les travailler ?

Comme si notre cerveau, à la différence de nos muscles, n'avait pas besoin d'entraînement, et ne pouvait être développé ! Nous acceptons pourtant cette évidence pour notre corps : nous savons que l'exercice physique développe notre souffle et nos muscles, qu'une alimentation adaptée bénéficie à notre santé, etc. Mais nous sommes moins convaincus, ou moins informés peut-être, que l'équivalent existe pour notre psychisme : l'entraînement de l'esprit, ou l'exercice mental, présentent aussi un intérêt majeur. Sur un plan intellectuel, ils nous aident à « muscler » nos capacités de réflexion et de concentration ; sur un plan émotionnel, à entraver nos penchants spontanés vers le stress, l'abattement, la colère et tous les dérapages auxquels nous expose le quotidien. La plupart de nos capacités psychiques obéissent aux règles de l'apprentissage : plus on pratique, plus on progresse.

C'est d'ailleurs ce qui nous arrive spontanément : plus nous nous énervons, plus nous devenons forts en énervement. Plus nous pratiquons le pessimisme ou le négativisme, plus nous devenons de grands experts pour décourager et les autres et nous-mêmes. Plus nous stressons, plus nous devenons des champions du stress…

Souhaitons-nous progresser dans d'autres directions ? Il va alors être nécessaire de travailler. Nous l'acceptons pour apprendre l'anglais, le ski ou la pratique d'un

Non qu'il faille espérer tenir notre mental en laisse et exercer sur lui un contrôle absolu. Mais juste rétablir un équilibre des forces : pouvoir se concentrer ou se calmer, par exemple, aux moments où nous en avons besoin.

instrument de musique. Mais cela nous est moins facile pour la sérénité ou la concentration. Certains se disent, par exemple : «Pourquoi s'exercer chaque jour ? La vie ne suffit-elle pas ? Mes intentions et résolutions ne suffisent-elles pas ?»

Non, tout cela ne suffit pas. En nous contentant de vagues intentions de changement, nous n'utiliserons jamais correctement notre esprit, nous resterons toujours des victimes gémissantes et consentantes de nos vieux automatismes, nous produirons toujours les mêmes pensées courtes et les mêmes émotions incontrôlables. C'est pourquoi la pratique de la pleine conscience, entre autres formes d'entraînement de l'esprit, est particulièrement intéressante pour tout le monde ; et particulièrement nécessaire pour celles et ceux qui perçoivent à quel point leur esprit leur échappe et leur désobéit. Non qu'il faille espérer tenir notre mental en laisse et exercer sur lui un contrôle absolu. Mais juste rétablir un équilibre des forces : pouvoir se concentrer ou se calmer, par exemple, aux moments où nous en avons besoin, ne me semble pas être un objectif si ambitieux ni excessif. Et pourtant, en sommes-nous souvent capables ?

L'entraînement de l'esprit, pratiqué quotidiennement, c'est un acte de santé : comme une gymnastique de la conscience.

C'est aussi un nettoyage des pollutions sociales, une sorte de ménage, régulièrement pratiqué, de notre intériorité. Et comme pour le « vrai » ménage, si on le fait, cela ne se voit pas : on s'habitue vite à se sentir bien. Mais si on ne le fait pas, cela se voit ! Ou plutôt, cela se sent. C'est sans doute le principal « risque » lié à la pratique de la pleine conscience : on en devient dépendant et, si on arrête, l'instabilité émotionnelle et la volatilité de l'esprit reviennent doucement.

L'entraînement de l'esprit est, enfin, une ascèse : derrière la simplicité de la pratique, se cache la difficulté de la régularité. Et il est aussi une école de patience : il faut toujours renoncer à un effet immédiat. Et d'humilité : la pratique n'est jamais une garantie. Ainsi, après l'enthousiasme des débuts, et le sentiment – parfois même les preuves palpables – que les exercices réguliers ont réduit notre fragilité psychique, nous voilà presque convaincus d'avoir fait des progrès, ce qui n'est pas faux ; et convaincus aussi que ces progrès sont stables et définitifs. Ce qui n'est pas vrai : nous allons rechuter. Ces « rechutes du pratiquant » sont la règle. Elles font partie du cheminement normal : après les succès et les enthousiasmes, tu retomberas. Sous l'effet de coups de colère, de spleen, d'inquiétudes… Humiliant ? Seulement si tu as tiré fierté de tes progrès de méditant. Plus encore si tu as paradé, en affichant ta pratique, en la vantant comme une panacée, si tu as porté ta nouvelle *zen attitude* en bandoulière… Décevant ? Seulement si tu t'es réjoui trop fort, même en secret, même *in petto*. Amusant ? Oui, si d'entrée tu avais admis que cela viendrait un jour. Et si, ce jour-là, tu accueilles la déception tranquillement. En pleine conscience. Tu le savais, tu l'avais accepté. Ça ne signifie rien d'autre que ceci : continue la pratique, encore et toujours.

Exercices et pratique

Je désigne par *exercices* la pratique de la pleine conscience alors qu'on n'en a pas besoin. Alors que notre vie se déroule de manière normale, sans souffrances particulières. Il y a trois niveaux d'exercices : les pratiques formelles, les pratiques brèves, et puis la vie elle-même mais en pleine conscience…

Les pratiques formelles consistent en des exercices longs, pratiqués régulièrement ; quotidiennement en début d'apprentissage, puis une fois par semaine ou par mois ensuite. Dans certains, on apprend à passer tout son corps en revue, sans chercher à modifier ses sensations mais juste en s'efforçant d'en prendre doucement et respectueusement conscience : c'est ce qu'on appelle, d'une métaphore médicale, le *scanner du corps*. Dans d'autres, on se connecte à ses mouvements respiratoires, ou encore aux sons et au mouvement incessant de nos pensées : c'est ce qu'on appelle la *pleine conscience des sons et des pensées*. Il y en a bien d'autres. On peut s'initier seul à ces exercices avec l'aide d'un enregistrement audio ; cela permet d'approcher la démarche, de commencer à en peser les intérêts et les difficultés. Mais à un moment, nous aurons besoin de conseils, de réponses à nos questions, besoin donc de participer à des sessions animées par un *instructeur* de pleine conscience. Ce terme d'« instructeur » souligne qu'il ne s'agit pas d'une thérapie (même si la pleine conscience peut être proposée aux personnes souffrant de troubles psychiques) mais d'un apprentissage, d'un ensemble d'*instructions* dont les personnes feront ensuite un usage personnel.

Les pratiques brèves (quelques minutes) sont destinées à être mises en place plusieurs fois dans la journée. Soit à titre de « simples » prises de conscience lors de moments déterminés : comme lorsque la cloche sonne, toutes les heures, dans certains monastères bouddhistes ; ou entre deux rendez-vous pour un médecin ; ou lors des changements de tâche pour une personne travaillant à son bureau ; lors d'une attente, etc. Soit aux moments de détresse et de souffrance : au lieu de les ignorer ou de laisser s'enclencher nos cycles habituels de rumination, on s'efforce d'en prendre conscience et on les héberge avec l'esprit le plus largement ouvert possible sur l'expérience de l'instant présent. C'est ce qu'on appelle, par exemple, un *espace de respiration* : lorsqu'on se sent en difficulté, chaque fois que cela sera possible, on s'arrête, et on permet à ce qui se passe de désagréable en nous d'être là, tout en se rendant présent à ses mouvements respiratoires pendant trois minutes. Puis on reprend le cours de ses activités, en bénéficiant de l'*esprit de pleine conscience* que nous aurons activé durant ces quelques minutes.

Vivre en conscience

Enfin, le plus vaste des lieux d'exercice : la vie elle-même. La vie en pleine conscience, que nous avons évoquée tout au long de ce livre, c'est tout simplement traverser le plus grand nombre possible de moments avec les yeux de l'esprit grand ouverts. C'est s'interrompre régulièrement, quelques secondes, quelques minutes ou davantage, pour éprouver intensément et sans mots ce qui est en train de se passer en nous et autour de nous. Une sorte de mastication et de digestion tranquilles de l'existence qui est la nôtre (au lieu d'engloutir et d'avaler tous les moments qui composent notre vie avec l'esprit absent). Que cela soit au cours d'instants apparemment anodins, ou lors d'événements importants. Anodins : manger, marcher, boire, travailler, bavarder, attendre, ne rien faire… Importants : cérémonies (dont la pleine conscience nous aide à prendre la mesure, au lieu de céder à la distraction ou aux bavardages de notre esprit : anniversaires, mariages, enterrements…), moments où nous sommes confrontés à la nature ou à la beauté…

Une ressource et un poste d'observation

Si nous pratiquons régulièrement ces exercices, alors la pleine conscience sera une grande ressource intérieure en cas de souffrance. D'abord comme un refuge : le refuge de l'instant présent face à toutes les détresses. Puis, comme une source de stabilisation de notre attention : elle nous redonne la capacité d'accueillir, d'observer, puis de décider que faire.

Mais aussi comme poste d'observation : lorsque nous ne comprenons pas clairement, lorsque notre volonté ne suffit pas, lorsque nous n'arrivons plus à maîtriser l'agitation ou le désordre de notre esprit. Le passage par la pleine conscience peut nous aider. Nous aider à ne pas vivre n'importe comment. À ne pas « passer à côté » de ce qui compte.

Il en est de même pour le bien-être : la pleine conscience est une ressource pour transcender le bien-être en bonheur, nous l'avons vu. Pour nous aider à accroître notre lucidité face aux moments de bonheur. À l'inscrire plus profondément encore en nous. À faire entrer nos bonheurs dans notre chair lorsqu'ils passent. Et à en prendre la mesure, à les voir tels qu'ils sont :

impermanents. Non pour s'attrister ou s'en détacher, mais pour les aimer encore plus fort, et réaliser leur beauté. La pleine conscience nous aide à comprendre que nos instants de bonheur sont comme des fleurs, à respirer et à abandonner, et non des pièces d'or, à agripper et à accumuler. Des fleurs magnifiques et fragiles, éphémères comme le sont nos vies. Elle nous aide à vivre, tout simplement, et à prendre conscience, à chaque exercice, que nous sommes vivants et que c'est formidable.

Leçon 21

Ce que recommandent les méditants chevronnés, c'est de commencer et de terminer ses journées par quelques instants de pleine conscience : en ouvrant mes yeux le matin, et le soir au moment de les fermer, prêter attention à mon expérience de l'instant présent (mon corps, mon souffle, le bavardage de mes pensées, le cours de mes émotions...). C'est aussi de traverser ces mêmes journées avec, régulièrement, des espaces de pleine conscience (lors des attentes ou des transitions entre deux activités). C'est enfin, si nous voulons aller plus loin, d'avoir une pratique approfondie toutes les semaines, pendant une demi-heure ou une heure ; ce qui est plus facile si on le fait en groupe, et avec un instructeur expérimenté.

CONTEMPLER

Le voyageur est arrivé tout en haut, après une journée passée à monter.

Il est parti très tôt ce matin, bien avant l'aube. Durant sa longue marche d'approche, il avançait l'esprit léger : le bruit de ses souliers, le rythme de son cœur et de sa respiration, l'enchaînement régulier de ses pas, le choc métallique de son bâton sur la roche, tout cela emplissait son esprit d'une sensorialité apaisante. Quelquefois, des pensées arrivaient, sur les difficultés qui l'attendaient. Alors il ouvrait sa conscience encore plus largement à l'instant présent : la marche, les bruits, mais aussi maintenant les premières couleurs de l'aube. Et les pensées disparaissaient, puis revenaient, puis disparaissaient à nouveau ; pas plus consistantes que des plumes au vent ou que la brume sur les flancs de la montagne.

Le Voyageur au-dessus de la mer de nuages,

Caspar David Friedrich (1774-1840)

Vers 1818, huile sur toile, 0,948 x 0,748 m, Kunsthalle, Hambourg

Maintenant, il est au sommet. Il a d'abord savouré sa victoire : «J'y suis arrivé, je l'ai fait!» Il faut toujours savourer ses victoires. Histoire de se libérer plus vite de ces états d'âme puérils autour du *succès*. Fierté, orgueil, contentement : autant assumer pleinement, laisser se répandre en nous ce nectar sucré et un peu écœurant. Puis passer à autre chose de plus intéressant. Aller au-delà de tout ça. Se laisser reprendre par la montagne, envahir par cet univers qui nous accueille et nous offre son hospitalité. Ouvrir sa conscience à tout ce qui est là, l'horizon splendide, la pureté de l'air, le silence habité des sommets, le bruit du vent.

À chaque inspiration, il semble au voyageur que c'est toute la montagne qui entre en lui. À chaque expiration, c'est son corps et son âme qui se dissolvent en elle. Il se sent infiniment bien. Totalement, absolument à sa place.

«Celui qui atteint son but
a manqué tout le reste.»

Adage zen

Engagement et détachement

La pleine conscience nous aide à nous engager dans les actions qui nous importent. Puis elle nous aide à nous détacher de l'asservissement au résultat de ces actions.

C'est la différence que faisait la langue grecque entre *télos* et *skopos*, entre la fin et le but. Lorsqu'un archer s'entraîne à tirer, le *télos*, c'est de bien tirer ; le *skopos*, c'est d'atteindre la cible. Ce qui est à ma portée et qui dépend de moi, c'est le *télos*. Le *skopos* dépend aussi d'autres facteurs : un souffle de vent qui va déporter la flèche, un bruit soudain qui va me faire bouger au dernier moment.

De même, la pratique de la pleine conscience exige de moi que, régulièrement, je reste assis en silence, les yeux fermés, et que je me consacre à accueillir et à observer mon expérience. Par contre, je dois accepter que le résultat de mon assise puisse varier considérablement selon les jours. Seule certitude : plus souvent et plus longtemps je me serai assis, plus souvent j'atteindrai ma cible.

Cette façon de s'engager dans l'action, en pleine conscience, nous permet, au travers de la vie de tous les jours, une confrontation à l'absolu. Engagement puis détachement comme une lente et patiente marche d'approche d'un absolu qui nous dépasse. Mais la séquence engagement puis détachement n'est pas facile.

Au début, lorsqu'on travaille sur le détachement, on fait semblant. On n'est pas vraiment détaché. On veut juste se préserver de la souffrance, appeler le détachement au secours pour ne pas souffrir des échecs, des abandons, des tourments du quotidien. Mais être détaché face aux succès, aux célébrations, aux glorioles, ça nous intéresse moins ! On ruse alors, on simule. Fausse modestie et fausse indifférence, fausse distance ; alors qu'en dedans on se pourlèche, on se boursoufle en cachette. Mais si on s'astreint, si on pratique régulièrement, si après chaque succès on s'assoit et on laisse décanter au lieu de s'exciter dans l'autocélébration, si après chaque échec on fait de même, au lieu de s'énerver dans l'autoflagellation, peu à peu il se passera de drôles de choses en nous. On sera moins secoué par l'écume des actes. On percevra qu'il y a plus intéressant au-delà. Ça commencera à ressembler au sommet de la montagne…

Pleine conscience, spiritualité et mysticisme

La vie spirituelle peut exister en dehors de la pratique religieuse. La spiritualité, c'est simplement la partie la plus élevée de notre vie psychique, celle où nous sommes confrontés à l'absolu et à ce qui nous dépasse. C'est ce qui va au-delà de notre ego, ce qui reste ouvert sur tout, et donc aussi sur l'inconnu ; trop facile, sinon, de n'être ouvert qu'au connu, au logique, à l'acceptable, au prévisible. La spiritualité, c'est ne pas fuir devant ce qui nous dépasse mais, au contraire, s'y exposer en pleine conscience. Ce qui nous dépasse ? Ces trois vertiges que sont l'infini, l'éternité et l'absolu…

La spiritualité suppose absolument ce double mouvement que nous venons d'évoquer : engagement et détachement. Pratiquer et avancer jusqu'au point où on lâche tout, où on se débarrasse du bagage de nos efforts et de nos objectifs. S'adonner alors à la contemplation.

Dans la foi catholique, contempler, c'est «regarder longuement, avec admiration». Cette attitude suppose au préalable «la paix et la pureté du cœur». Traduction profane : le calme et le non-jugement, c'est-à-dire la pleine conscience.

Pour le philosophe André Comte-Sponville, l'attitude contemplative est ce qui conduit à la pratique du mysticisme : «Le mystique, c'est celui qui voit la réalité face à face : il n'est plus séparé du réel par le discours (c'est ce que j'appelle le silence), ni par le manque (ce que j'appelle la plénitude), ni par le temps (ce que j'appelle l'éternité), ni enfin par lui-même (ce que j'appelle la simplicité : l'*anatta* des bouddhistes). Dieu même a cessé de lui manquer : il fait l'expérience de l'absolu ici et maintenant.»

La pleine conscience est ainsi une évidente mystique laïque : la quête, au-delà des explications et des mots, d'un éclaircissement et d'un absolu dont on s'apprête, dont on se prépare à ne rien vouloir faire. Puisqu'il n'y a rien d'autre à faire que s'en imprégner, que s'en laisser baigner et irradier. Ce qui nous conduit parfois à une sorte d'extase légère, tranquille, muette. Parfois. Et parfois non…

Extases, enstases et moments de grâce

L'extase est une sortie de soi et une fusion dans autre chose de plus vaste : une révélation divine, ou parfois charnelle, l'accès à un autre monde que l'habituel, dans un autre état de conscience que l'habituel. Elle est une chute, un saut ou un détour – car, en général, on en revient – dans la transcendance et l'absolu.

L'enstase est une chute en soi-même, et on y découvre que tout est là. C'est la douceur qui monte du dedans, le calme à qui l'on a permis d'émerger de l'intérieur. Tout à coup, éruption volcanique de sérénité. C'est toujours bouleversant de sentir cet apaisement autoproduit. Bouleversant de constater comment le calme *enstatique* nous relie au monde au lieu de nous en séparer. On se laisse alors transformer, au lieu de vouloir encore et toujours transformer ce qui nous entoure.

Cela se passe lors de moments de grâce, qui surviennent souvent lorsqu'on ne s'y attend pas. Moments de grâce qui ne peuvent jaillir que d'une pleine conscience et d'une vraie présence au réel, comme dans cet instant raconté par le poète Christian Bobin : «J'épluchais une pomme rouge du jardin quand j'ai soudain compris que la vie ne m'offrirait jamais qu'une suite de problèmes merveilleusement insolubles. Avec cette pensée, est entré dans mon cœur l'océan d'une paix profonde.»

Pas besoin de gravir des montagnes. Une pomme suffit.

Leçon 22

La pleine conscience ne nous recommande pas de nous couper du monde ou de nous retirer dans un ermitage, ni d'adopter des postures de sage distancié de tout. Elle nous incite juste à mieux savourer notre vie, à effectuer des choix, à poursuivre des buts, mais sans nous confondre avec eux, sans nous accrocher excessivement à la réussite ou à la perfection. Est-il possible d'être à la fois engagé en surface et détaché en profondeur? Il s'agit de faire de notre mieux, en toute conscience et en toute présence, mais sans assujettir notre effort, qui dépend de nous, au résultat final, qui ne dépend pas que de nous. Plutôt que le dépassement (de soi ou, pire, des autres), c'est l'accomplissement qui nous intéresse alors: ne plus penser sa vie en termes de victoires ou de défaites, mais d'expériences qui nous construisent.

AIMER

iméon, voilà longtemps qu'il a compris : cet enfant est le Messie et il va tout chambouler ici-bas. Siméon le sait et il sait aussi que ce ne sera pas sans douleurs infinies pour Jésus. Et donc pour sa mère. Il le dira à Marie : « Une épée te transpercera l'âme ! » Siméon a pressenti que Jésus apporte sur Terre la révolution de l'amour. Jamais personne avant lui ne l'aura ainsi clamé et révélé : Dieu est amour, et Dieu veut que l'amour règne, sans partage. Les anciens dieux ne dominaient les esprits des humains que par la force et la peur. Jésus annonce un Dieu de miséricorde infinie, et le royaume qui va avec. Ce message – la primauté absolue de l'amour – va changer le monde en Occident. Pendant qu'en Orient, le message de Bouddha parle de l'importance de la compassion et de la voie pour diminuer la souffrance de tous les humains.

Siméon au temple, Harmensz Van Rijn, dit Rembrandt (*1606-1669*)
1669, huile sur toile, 0,985 x 0,795 m, Nationalmuseum, Stockholm

Alors, quand Siméon prend Jésus dans ses bras pour la présentation au temple, il a une envie terrible de l'étreindre et de l'embrasser ; pour le remercier de tout ce qu'il apporte avec lui et pour le conforter face à toutes les souffrances qui l'attendent. Mais il ne le fait pas, pas tout de suite : il ne doit pas le toucher avec les mains nues, mais avec le châle de prière des juifs, qui a donné dans la liturgie catholique le voile huméral avec lequel le prêtre transporte le Christ eucharistique dans le ciboire. Il est profondément ému de voir enfin le Messie qu'il a si longtemps attendu et prononce le *Nunc dimittis* que l'on chante à la prière des complies : « Maintenant, ô maître, tu peux, selon ta parole, laisser ton serviteur s'en aller en paix, car mes yeux ont vu ton salut. » Siméon peut mourir tranquille. Maintenant, l'amour va se répandre…

« Je ne parlerai pas, je ne penserai rien :
Mais l'amour infini me montera dans l'âme… »

ARTHUR RIMBAUD, SENSATION

Le lait des tendresses humaines

L'expression est de Shakespeare, dans *Macbeth*. Elle sort de la bouche de Lady Macbeth, qui regrette chez son époux ce signe d'humanité, alors qu'elle le pousse à assassiner le roi d'Écosse, Duncan : « Je crains ta nature, elle est trop pleine du lait des tendresses humaines pour te conduire par le chemin le plus court. » Ce « lait des tendresses humaines » sonne chez elle comme un regret ou un reproche. Il n'empêchera pas l'assassinat, mais provoquera la culpabilité de Macbeth et la folie de son épouse. L'expression nous rappelle que nous sommes des êtres de lien et d'amour. Sans nourritures affectives, on est en danger, on ne grandit pas, on ne s'épanouit pas. Sans amour, on vit mal : on se durcit ou on sombre dans la folie ou la maladie.

La vie peut nous pousser à oublier ou à négliger cette dimension de notre humanité. La pratique de la pleine conscience nous propose de nous y reconnecter très régulièrement. Pour diminuer nos souffrances et celles des autres humains. Et pour comprendre et utiliser plus souvent son pouvoir formidable.

Il y a autour de moi une foule d'êtres humains qui m'ont aimé, aidé, souri, donné… Et continuent de le faire, et le feront demain. Avoir conscience de la dette, et s'en réjouir, et l'exprimer : c'est la gratitude. Amener régulièrement ma conscience sur cela, jusqu'à l'éprouver physiquement : ce sont les méditations de gratitude. Au fond, il y a trois démarches dans la gratitude : reconnaître son importance ; s'arrêter un moment pour faire davantage qu'y penser, la laisser se répandre dans son corps, comme une émotion et pas seulement comme une pensée ; puis l'exprimer, bien sûr, à celles et à ceux qui nous ont aimés et aidés. Pensée, émotion, comportement…

Plus largement encore, il est capital de prendre conscience de l'importance extrême et absolue de l'amour : sous toutes ses formes (altruisme, affection, tendresse, gentillesse, compassion, générosité…). Capital de méditer sur cet amour. Et capital de le mettre en acte quotidiennement. Cette philanthropie en action, les chrétiens la nomment *charité*, et les bouddhistes *amour altruiste*. Mais il s'agit évidemment de la même démarche : comprendre, héberger et pratiquer l'amour du prochain.

Méditations et liens d'amour

L'enseignement bouddhiste, qui a beaucoup codifié ces attitudes, aborde en général le travail sur l'amour altruiste au travers de quatre pratiques méditatives, qu'il faut bien sûr comprendre comme des moments de préparation aux mises en actes.

Il y a d'abord les méditations d'amour bienveillant, qui consistent à penser aux personnes qu'on aime et à les aimer vraiment, là, maintenant. Il ne s'agit pas de juste se dire qu'on les aime, mais de laisser cet amour (ou affection, ou sympathie) qu'on éprouve à leur égard grandir et se manifester physiquement en nous. Cela ressemble un peu à ce que vous pouvez éprouver en regardant dormir un enfant, ou en observant une personne aimée, à son insu : tout votre corps participe à l'amour, pas seulement vos pensées. Dans ces méditations, on s'efforce de donner dans notre conscience le plus grand espace possible à cet

Ce qui nous est demandé, ce n'est pas seulement d'avoir des *pensées* de compassion ou des *intentions* de compassion, mais littéralement, des *émotions* de compassion.

amour. Et de faire que notre corps en soit la caisse de résonance la plus sensible.

Puis viennent les méditations de compassion, qui consistent à tourner notre esprit vers les souffrances que peuvent ressentir (ou qu'ont pu ressentir) nos proches. Nous en accueillons la conscience jusqu'à les héberger en nous. Et nous en souhaitons, de tout notre cœur, la diminution ou la cessation. Là encore, ce souhait doit aller au-delà de la simple pensée rapide ou superficielle, il doit être émis et éprouvé de toute notre personne. Ce qui nous est demandé, ce n'est pas seulement d'avoir des *pensées* de compassion ou des *intentions* de compassion, mais littéralement des *émotions* de compassion. Lorsqu'on apprend la souffrance, la maladie ou la mort de quelqu'un, que faisons-nous? Est-ce que nous nous arrêtons, au moins quelques minutes? Est-ce que nous prenons le temps de laisser l'image de cette personne s'installer en nous? Le temps de laisser nos pensées d'affection et de compassion prendre toute la place en nous? Pratiquer régulièrement cela, c'est la méditation de compassion.

Les méditations de joie altruiste visent, quant à elles, à prendre peu à peu la bonne habitude de se réjouir sincèrement du bonheur d'autrui. Réjouissance altruiste devant ce qui est bon pour les autres. Se réjouir de voir des enfants, même si ce ne sont pas les siens, rire et jouer, des amoureux s'embrasser, des gens se parler ou s'aider. Il n'y a pas que ça ? Il y a aussi des violences et des méchancetés ? Eh bien, justement, les méditations de joie altruiste nous aident à ne pas oublier que, face à ces violences et à ces méchancetés, il y a aussi la douceur, le bonheur et l'amour. Nous le savons, mais l'éprouver en pleine conscience donnera plus de force à ces convictions.

Enfin, les méditations d'équanimité recommandent de s'entraîner à rester capable de souhaiter le bien de tous les humains, même de ceux qui sont loin de nous, qui nous sont inconnus, même de ceux qui nous sont antipathiques ou qui ont pu nous faire du mal. Travailler à éprouver pour eux de la bienveillance, de la compassion et de la joie altruiste face à leurs bonheurs. Le pressentiment et la conviction qui sous-tendent ces méditations, c'est que la souffrance est à l'origine de la plupart des conduites problématiques ; si un humain est heureux, s'il souffre moins, il fera moins souffrir les autres.

Quelles graines voulons-nous voir pousser en nous ?

Nous pouvons devenir des champions d'indifférence, d'envie et de jalousie, d'égoïsme, de ressentiment : il suffit de ne pas faire d'efforts lorsque ces émotions surgissent en nous. De leur laisser toute la place. De les laisser emplir seules toute notre conscience. Nous pouvons alors être sûrs qu'elles reviendront, toujours plus fortes et présentes. Leur laisser libre cours ne les calmera pas, mais les enracinera encore plus solidement en notre esprit. La catharsis, la vidange, en matière d'émotions déstabilisantes, cela ne fonctionne pas.

Mais nous pouvons aussi devenir des champions d'altruisme, de bienveillance, de compassion, d'équanimité si, régulièrement et profondément, nous faisons de l'espace en nous pour ces ressentis. Il n'y a maintenant rien de plus à en dire.

Leçon 23

La pleine conscience donne du corps à nos bonnes intentions. Nos élans d'affection, pour nos proches et moins proches, gagnent à être exprimés par des gestes et des paroles. Mais ils peuvent aussi s'accomplir dans le secret de notre intériorité. Prendre régulièrement le temps de ressentir l'amour, la sympathie, la gratitude et toutes les émotions d'affection que la vie, normalement, nous permet d'éprouver. Pas d'intentions vagues («Il faudra que je lui dise»), pas de pensées pressées et expéditives («J'ai de la chance, on m'aime»), mais des méditations prolongées, répétées et enracinées dans notre corps. Cela va tout changer.

EXPÉRIMENTER
L'EXTENSION
ET LA DISSOLUTION
DE SOI

Que se passe-t-il ici ? Que fait cette main gauche cachée sous la table ? D'où sort ce drôle de caillou, avec ses petits cratères ? Tombé de la lune ? Et pourquoi la main droite est-elle aussi étrangement posée, comme une araignée, dans un mouvement interrompu qui ne veut plus rien dire ? Et puis, la tête de cet homme élégamment vêtu, en train de se dissoudre dans une boule de lumière jaune, comme un soleil mental qui irradie tout à coup… On dirait la lumière qui frappait à la fenêtre du philosophe en méditation, dans le tableau de Rembrandt, au tout début de ce livre, vous vous souvenez ? C'est le portrait d'une disparition. Ou d'une mutation. Le costume (la vie sérieuse) va bientôt être vidé de sa substance.

Le Principe du plaisir, René Magritte (*1898-1967*)

1937, huile sur toile, 0,79 x 0,635 m, anciennement Edward James Foundation, Sussex

Et l'esprit qui bouillonne comme un soleil (la vie mystérieuse) va bientôt déborder du corps matériel et l'abandonner. C'est le portrait d'une incandescence de l'esprit. Bientôt, sur la toile, il n'y aura plus que la lumière. Et puis plus rien.

« Ma vie diffuse et vaporeuse devient pareille
aux feuilles et aux aiguilles de givre
qui étincellent comme des joyaux sur les herbes
et les chaumes par un matin d'hiver…
Par la simplicité communément appelée pauvreté,
ma vie se concentre et s'organise, devient cosmos
de masse amorphe qu'elle était. »

HENRY THOREAU, JOURNAL (FÉVRIER 1857)

Extension

La pleine conscience est comme une expansion de soi. On absorbe tout ce qui est autour de nous, on s'en imprègne et on le devient. Comme un cercle qui s'élargit jusqu'à tout englober. On est au centre de cet univers. Mais ce n'est pas un univers borné, toutes ses frontières sont poreuses…

Pourtant, on avait commencé la séance tout étriqué, crispé, recroquevillé sur des pensées, des énervements ou des désolations. Alors on s'est arrêté, on s'est assis, on a fermé les yeux. Mais ça continuait : acouphènes, agacement, confusion, désordre, dispersion. Tout ça pour ça ? J'arrête ? Non, je continue. Je continue mais je ne touche à rien : ne pas modifier mon expérience, ne rien empêcher, ne rien retrancher, ce qui est là, comme ça, a peut-être, a sans doute, de bonnes raisons d'être là. Juste ouvrir, élargir, inviter, appeler d'autres invités à ma conscience ; ne pas rester seul avec ce chaos, mais lui permettre d'être là. Je respire, je prends conscience que je respire.

Il y a des sons autour de moi : conscience. Conscience de toutes les parties de mon corps. Je commence à sentir que l'étreinte se desserre. Je sens que je peux même ouvrir les yeux, contempler le mur, les objets, le ciel. Absorber tout ce qui passe. Le chaos, l'agacement et les sensations désagréables sont toujours là, ainsi que les ennuis extérieurs qui les ont créés ; mais ils apparaissent maintenant plus petits. Moins importants. J'avale toujours tout ce qu'il y a autour de moi. Gargantua, Pantagruel, ogre psychique, j'engouffre doucement le monde et le réel. Plus j'avale, plus je me sens serein. Mais au bout d'un moment, une question m'arrive : qui est en train d'avaler qui ?

Dissolution

Dans la pleine conscience, nous éprouvons souvent des sentiments récurrents d'abolition des frontières entre nous et l'extérieur. Sentiments de fusion de soi dans l'environnement. De diffusion de l'environnement en soi. Effrayant ? Au contraire, agréable et sécurisant : on y découvre à quel point le repli sur l'ego est finalement une mauvaise solution.

Souvenez-vous, nous avons évoqué comment le bouddhisme parle, dans sa langue imagée et poétique, de « vision pénétrante », nous aidant à accéder à la vraie nature des phénomènes, et notamment à leur *vacuité* : nous sommes comme des arcs-en-ciel. Exister, se dissoudre, se recomposer…

J'éprouve souvent cela lorsque nous conduisons, par beau temps, des séances de méditation dans les jardins de l'hôpital Sainte-Anne : sortis du service, nous nous trouvons pieds nus dans l'herbe, plongés dans la rumeur lointaine de Paris qui nous arrive d'au-delà les murs, et dans un bain de sensorialité tel que nous nageons dedans sans plus distinguer nos limites. Expansion. Présence très intense mais sans ego. Comme une sortie de soi-même, sans avoir besoin de mourir. On ne se sent pas mort mais ultravivant. On ne se sent pas disparaître mais on a au contraire l'impression de se répandre partout autour de soi. Notre présence devient

« Abandonne tout, abandonne tout ce que tu connais, abandonne, abandonne, abandonne. Et n'aie pas peur de rester sans rien, car, à la fin, c'est ce rien qui te soutient… »

comme une évidence. Nous nous sentons « être comme le blé qui pousse ou la pluie qui tombe », ainsi que le note Etty Hillesum.

Libération

On se sent alors léger jusqu'à l'inexistence. Mais non, ce n'est pas tout à fait ça. Ce n'est pas vraiment un mouvement vers l'inexistence, mais vers une appartenance qui nous échappe.

Je pense à la noosphère du théologien chrétien Teilhard de Chardin. Tout comme on parle d'atmosphère pour la couche d'air ou de biosphère pour la couche de vie végétale et animale qui entourent notre planète minérale, on peut parler de noosphère (du grec *noos*: intelligence, esprit, pensée) pour désigner la couche – invisible, impalpable, mais bien réelle – de toutes les pensées humaines. Qui forment une *extelligence*, fusion vertigineuse de nos intelligences individuelles.

Je pense à la métaphore du radeau et de la traversée : après la traversée de la rivière, du lac, de l'océan, le radeau si précieux devient inutile et encombrant pour continuer le voyage sur le continent que nous avons abordé. Il faut le quitter. Sans regret, l'essentiel nous restera.

Je pense à ces paroles d'un sage : « Abandonne tout, abandonne tout ce que tu connais, abandonne, abandonne, abandonne. Et n'aie pas peur de rester sans rien, car, à la fin, c'est ce rien qui te soutient… »

Je pense à ces lignes de Simone Weil : « Que l'âme d'un homme prenne pour corps tout l'univers. S'identifier à l'univers même. » Je pense à cette différence entre éternité et immortalité. On sait bien que l'immortalité n'existera pas pour nous. Mais, lorsqu'on vit pleinement l'instant présent, on sent bien qu'on y est, dans l'éternité. Elle existe et nous l'éprouvons.

Leçon 24

La pleine conscience abolit les frontières inutiles. Comme celles qui nous séparent de tout le reste du monde. On a toujours peur de disparaître et de se dissoudre. Mais si on l'a fait des dizaines de fois, on a forcément un peu moins peur. Méditer en pleine conscience, c'est se connecter au monde, si fortement que les distinctions entre soi et non-soi deviennent absurdes, inutiles et encombrantes. Se préparer doucement à revenir d'où on vient, comme la vague se dissoudra bientôt dans l'océan. Il n'y a alors plus de limites. Que des liens.

ENVOL
CONSCIENCE
UNIVERSELLE

« Adieu, et souviens-toi :
la foi est plus belle que Dieu. »

CLAUDE NOUGARO, PLUME D'ANGE

Champs de blanchiment dans la campagne, près de Haarlem,
Jacob Isaackszoon Van Ruysdael (*vers 1628-1682*)
Vers 1670, huile sur toile, 0,625 x 0,552 m, Kunsthaus, Zürich

J'étais là.

J'étais là, Jacob Van Ruysdael, en cet automne de 1670, quand tu peignais ce tableau. J'étais là, avec toi, sur la colline de Het Kopje, dans les dunes près de Bloemendaal, au nord-ouest de Haarlem. J'étais là et, comme toi, j'étais fasciné par le ciel merveilleux qui s'offrait à nous comme un spectacle, une symphonie. J'étais là dans les poils de ton pinceau, dans les gouttes d'eau des nuages, le souffle du vent, les fibres des bandes de lin qui blanchissaient dans les champs en contrebas. J'étais là dans ta respiration, dans la fumée de ta pipe, dans la mouche qui t'agaçait – tu te souviens ? – en tournant autour de toi.

Je suis là.

Je suis là dans ce livre, ce papier, ces lettres imprimées. Je suis là, et dans les pensées qui traversent ton esprit, il y a aussi, tu le sens bien, un petit peu de moi. Tu es là, toi aussi, dans mon esprit, à l'instant où tu me lis. Quand tu vas lever la tête et voir le ciel, ou quand tu vas aller à ta fenêtre pour le regarder, ce sera le même ciel que je regarderai. Le même air que nous respirerons. Même planète. Cette nuit, ou la prochaine, mêmes étoiles au-dessus de nos têtes. Même univers.

Prends conscience de tout cela.

Prends conscience.

Maintenant.

Et

pour

toujours

QUELQUES LIVRES UTILES

POUR EN SAVOIR PLUS SUR LA MÉDITATION DE PLEINE CONSCIENCE

POÉTIQUES

- Kabat-Zinn J., *Où tu vas, tu es. Apprendre à méditer pour se libérer du stress et des tensions profondes*, Paris, J'ai lu, 1996.
- Kabat-Zinn J., *L'Éveil des sens. Vivre l'instant présent grâce à la pleine conscience*, Paris, Les Arènes, 2009.
- Kabat-Zinn J., *Méditer. 108 leçons de pleine conscience*, Paris, Les Arènes, 2010 (avec un CD d'exercices, lu par Bernard Giraudeau).

BOUDDHISTES

- Khyentsé Rinpoché D., *Le Trésor du cœur des êtres éveillés*, Paris, Le Seuil, coll. «Points», 1996.
- Nhat Hanh T., *Le Miracle de la pleine conscience. Manuel pratique de méditation*, Paris, J'ai Lu, 2008.
- Vénérable Hénépola Gunaratana, *Méditer au quotidien. Une pratique simple du bouddhisme*, Paris, Marabout, 1995.
- Mingyour Rinpoché Y., *Bonheur de la méditation*, Paris, Fayard, 2007.
- Ricard M., *L'Art de la méditation*, Paris, NiL, 2008.
- Ricard M., *Chemins spirituels. Petite anthologie des plus beaux textes tibétains*, Paris, NiL, 2010.

SCIENTIFIQUE

- Hanson R. et Mendius R., *Le Cerveau de Bouddha. Bonheur, amour et sagesse au temps des neurosciences*, Paris, Les Arènes, 2011.
- Rosenfeld F., *Méditer, c'est se soigner*, Paris, Les Arènes, 2007.

PSYCHOTHÉRAPIQUES

- Fehmi L. et Robbins J., *La Pleine Conscience. Guérir le corps et l'esprit par l'éveil de tous les sens*, Paris, Belfond, 2010.
- Maex E., *Mindfulness : apprivoiser le stress par la pleine conscience*, Bruxelles, De Boeck, 2007.
- Kabat-Zinn J., *Au cœur de la tourmente, la pleine conscience*, Bruxelles, De Boeck, 2009.
- Segal Z. et coll., *La Thérapie cognitive basée sur la pleine conscience pour la dépression*, Bruxelles, De Boeck, 2006.
- Williams M. et coll., *Méditer pour ne plus déprimer. La pleine conscience, une méthode pour mieux vivre*, Paris, Odile Jacob, 2009 (avec un CD d'exercices, lu par Christophe André).

QUELQUES SITES INTERNET

SUR LA PLEINE CONSCIENCE EN PSYCHOTHÉRAPIE

- Association francophone (avec une liste de praticiens) : www.association-mindfulness.org/
- Site de l'université de Louvain-la-Neuve, en Belgique, dédié à la pleine conscience : www.cps-emotions.be/mindfulness/index.php
- Site de l'université du Massachusetts, aux États-Unis, dédié à la pleine conscience : www.umassmed.edu/cfm/index.aspx
- Site de l'université de Bangor, au pays de Galles, dédié à la pleine conscience : www.bangor.ac.uk/mindfulness/

NOTES BIBLIOGRAPHIQUES

PRÉLUDE

LA PRÉSENCE, PAS LE VIDE
- Une belle étude scientifique sur la manière dont Rembrandt faisait voyager à sa guise l'œil des observateurs dans les différentes parties de ses tableaux : DiPaola S. et coll., « *Rembrandt's Textural Agency: A Shared Perspective in Visual Art and Science* », *Leonardo*, vol. 43, n° 2, avril 2010, p. 145-151.
- Schama S., *Les Yeux de Rembrandt,* Paris, Le Seuil, 2004.
- Wallace B.A. et Shapiro S.L., *Mental Balance and Well-Being: Building Bridges Between Buddhism and Western Psychology*, *American Psychologist*, vol. 61, octobre 2006, p. 690-701.

1. PRENDRE CONSCIENCE

VIVRE L'INSTANT PRÉSENT
- Wildenstein D., *Monet : Vie et œuvre*, tome 4, Lausanne, Bibliothèque des Arts, 1985.
- Vénérable Hénépola Gunaratana, *Méditer au quotidien. Une pratique simple du bouddhisme*, Paris, Marabout, 1995.

HABITER SON CORPS
- Sur le tableau de Watteau : Cheng F., *Pèlerinage au Louvre*, Paris, Flammarion, 2008.
- Davidson R.J. et coll., « *Alterations in Brain and Immune Function Produced by Mindfulness Meditation* », *Psychosomatic Medicine*, vol. 65, juillet-août 2003, p. 564-570.
- Epel E.S., Daubenmier J., Moskowitz J.T., Folkman S. et Blackburn E.H., « *Can Meditation Slow Rate of Cellular Aging? Cognitive Stress, Mindfulness, and Telomeres* », *Annals of the New York Academy of Sciences*, vol. 1172, août 2009, p. 34-53.
- Jacobs T.L., Epel E.S., Lin J., Blackburn E.H., Wolkowitz O.M.,

Bridwell D.A., Zanesco A.P., Aichele S.R., Sahdra B.K., MacLean K.A., « *Intensive Meditation Training, Immune Cell Telomerase Activity, and Psychological Mediators* », *Psychoneuroendocrinology*, octobre 2010.; DOI: 10.1016/j psyneuen. 2010.09.010.

FERMER LES YEUX ET ÉCOUTER
- La citation de Yone Noguchi est extraite du recueil *Sources de sagesse orientale*. Genève, Weber, 1975.

OBSERVER SES PENSÉES
- Collectif, *Peter Doig: Contemporary Artists*, Londres, Phaidon, 2006.
- Ricard M., *Plaidoyer pour le bonheur*, Paris, NiL, 2003.

DONNER UN ESPACE À SES ÉMOTIONS
- Brinkmann B., *Cranach*, Londres, Royal Academy of Arts, 2008.
- Raes F. et coll., « *Mindfulness and Reduced Cognitive Reactivity to Sad Mood: Evidence From a Correlational Study and a Non-Randomized Waiting List Controlled Study* », *Behaviour Research and Therapy*, vol. 47, juillet 2009, p. 623-627.
- Farb N.A.S. et coll., « *Minding One's Emotions: Mindfulness Training Alters the Neural Expression of Sadness* », *Emotion*, vol. 10, février 2010, p. 25-33.

DÉPLOYER SON ATTENTION POUR ACCROÎTRE SA CONSCIENCE
- Marijnissen R.-H., *Bosch*, Paris, Gallimard, 1996.
- Shabkar, *Autobiographie d'un yogi tibétain*, tomes 1 et 2, Albin Michel, 1999. Et aussi : *Poèmes tibétains de Shabkar*, Paris, Albin Michel, 2001.
- Parmi les recherches sur la conscience les plus récentes et les plus passionnantes, lire par exemple Christof Koch, *À La Recherche de la conscience, une enquête neurobiologique*, Paris, Odile Jacob, 2006. Ou bien Antonio Damasio, *L'Autre Moi-même, les nouvelles cartes du cerveau, de la conscience et des émotions*, Paris, Odile Jacob, 2010. Et aussi une synthèse accessible et rigoureuse de Philippe Presles, *Ce qui n'intéressait pas Freud. Les nouveaux mystères de la conscience*, Paris, Robert Laffont, 2011.
- La phrase de James sur l'attention : « *[Attention is] the taking possession of the mind, in clear and vivid form, of one out of what seem several simultaneously possible objects or trains of thoughts. [...] It implies*

withdrawal from some things in order to deal effectively with others. » est extraite de *The Principles of Psychology*, vol. 1, 1890, chap. 11, «*Attention*», p. 403-404. Pour une introduction en français à l'œuvre de William James: *Précis de psychologie*, Paris, Les Empêcheurs de penser en rond, 2003.

- MacLean K.A. et coll., «*Intensive Meditation Training Improves Perceptual Discrimination and Sustained Attention*», *Psychological Science*, vol. 21, juin 2010, p. 829-839.

- Il existe de nombreuses études sur les entraînements attentionnels dans les troubles anxieux et dépressifs. Un bon exemple en français, appliqué à la peur de rougir, est proposé dans l'ouvrage d'Antoine Pelissolo et Stéphane Roy, *Ne plus rougir et accepter le regard des autres*, Paris, Odile Jacob, 2009.

- Sur les environnements psychotoxiques: André C. «Consommer moins pour exister mieux!», *Cerveau & Psycho*, n° 36, mai-juin 2010, p. 16-17.

N'être qu'une présence

- Cuzin J-P. et Salmon D., *Georges de La Tour, histoire d'une redécouverte*, Paris, Gallimard, coll. «Découvertes», 1997.
- Quignard P., *Georges de La Tour*, Paris, Éditions Galilée, 2005.
- Saint Augustin, *Les Confessions*, Paris, Garnier Flammarion, 1964.
- Claudel P., *Psaumes*, Paris, Téqui, 1986.
- De Mello A., *Un chemin vers Dieu. Petits exercices pour apprendre à prier*, Paris, Albin Michel, 2006.
- Saint Ignace de Loyola, *Exercices spirituels*, Paris, Desclée de Brouwer, 1992.
- Quignard P., *La Nuit et le silence*, Paris, Flohic Éditions, 1995.

2. Vivre avec les yeux de l'esprit

Voir l'invisible

- Bott G.C., *Nature morte*, Cologne, Taschen, 2008.
- Comte-Sponville A., *Chardin, ou la matière heureuse*, Paris, Adam Biro, 1999.
- Prigent H. et Rosenberg P., *Chardin, la matière silencieuse*, Paris, Gallimard, coll. «Découvertes», 1999.
- Schneider N., *Les Natures mortes*, Cologne, Taschen, 2009.

Voir l'important

- La citation sur les «pensées courtes» est extraite de l'ouvrage de Tiziano Terzani, *Le Grand Voyage de la vie. Un père raconte à son fils*, Paris, Le Seuil, coll. «Points», 2009.
- Thoreau H.D., *Journal 1837-1861*, Paris, Éditions Pierre Terrail/ Édigroup, 2005.
- Thoreau H.D., *La Vie sans principe*, Paris, Mille et Une Nuits, 2004.
- Thoreau H.D., *Walden ou la vie dans les bois*, Paris, Aubier, coll. «Bilingue», 1967.
- Cioran, *Cahiers*, Paris, Gallimard, 1997.
- Des Forêts L.-R., *Pas à pas jusqu'au dernier*, Paris, Mercure de France, 2001.
- Sur le matérialisme: Kasser T., *The High Price of Materialism*, Cambridge, MIT Press, 2002. Pélegrin-Genel E., *Des souris dans un labyrinthe. Décrypter les ruses et manipulations de nos espaces quotidiens*, Paris, La Découverte, 2010. Raynor H.A. et Epstein L.H., «*Dietary Variety, Energy Regulation, and Obesity*», *Psychological Bulletin*, vol. 127, n° 3, mai 2001, p. 325-341. Schwartz B., *Le Paradoxe du choix*, Paris, Michel Lafon, 2006.
- De Foucauld J.-B., *L'Abondance frugale. Pour une nouvelle solidarité*, Paris, Odile Jacob, 2010.
- Quelques sites de lutte contre le matérialisme: www.commercialfreechildhood.org / www.simpleliving.net http://simplicitevolontaire.info / www.bap.propagande.org

Agir et ne pas agir

- Proudhon, *Du principe de l'art et de sa destination sociale*, 1865.
- La citation sur l'immobilité est extraite de l'ouvrage de Jacques Castermane, *La Sagesse exercée*, Paris, La Table Ronde, 2005.
- Sur l'usage de l'action en psychothérapie:
Pour les professionnels de santé: Martell C.R. et coll., *Behavioral Activation for Depression. A Clinician's Guide*, New York, Guilford, 2010.
Pour les patients: Addis M.E. et Martell C.R., *Vaincre la dépression. Une étape à la fois*, Montréal, Les Éditions de l'Homme, 2009.

Affûter son esprit

- Buck S., *Hans Holbein, «Les Maîtres de l'art flamand»*, Cologne, Könemann, 1999.

- Moore A. et Malinowski P., «*Meditation, Mindfulness and Cognitive Flexibility*», *Consciousness and Cognition*, vol. 18, n° 1, mars 2009, p. 176-186.
- Nielsen L. et Kaszniak A.W., «*Awareness of Subtle Emotional Feelings: a Comparison of Long-Term Meditators and Nonmeditators*», *Emotion*, vol. 6, août 2006, p. 392-405.
- Piaget J., *La Représentation du monde chez l'enfant*, Paris, Presses Universitaires de France, coll. «Quadrige», 2003.
- La citation de Freud est extraite de son ouvrage *Introduction à la psychanalyse*, Paris, Payot, coll. «Petite Bibliothèque», 2004.
- La citation de Thich Nhat Hanh est extraite de son ouvrage *Le Miracle de la pleine conscience*, Paris, J'ai Lu, 2008.
- La citation de Simone Weil (ainsi que celles qui sont présentes dans ce livre) sont extraites de son ouvrage *La Pesanteur et la grâce*, Paris, Plon, 1988.
- Pour approfondir les concepts bouddhistes : Khyentsé Rinpoché D., *Le Trésor du cœur des êtres éveillés*, Paris, Le Seuil, 1996. Nhat Hanh T., *Le Cœur des enseignements du Bouddha*, Paris, La Table Ronde, 2000. Midal F., *ABC du bouddhisme. Apprendre à méditer, travailler sur soi, ouvrir son cœur*, Paris, Grancher, 2008 (ouvrage dont est extraite la citation sur le «miroitement du réel»). Midal F., *Quel bouddhisme pour l'Occident ?*, Paris, Le Seuil, 2006.

COMPRENDRE ET ACCEPTER CE QUI EST

- La citation «*Vous n'avez pas à accepter les choses : elles sont déjà là*» est extraite du livre de Prakash S. *L'Expérience de l'unité. Dialogues avec Svâmi Prajnânpad*, Paris, Accarias L'Originel, 1986.
- La citation sur «sagesse et opposants» est extraite de l'ouvrage de Jonathan Haidt, *L'Hypothèse du bonheur. La redécouverte de la sagesse ancienne dans la science contemporaine*, Bruxelles, Mardaga, 2006.
- Ouvrages permettant d'approfondir la réflexion sur l'acceptation : Comte-Sponville A., *De l'autre côté du désespoir. Introduction à la pensée de Svâmi Prajnânpad*, Paris, Accarias L'Originel, 1997. Castermane J., *La Sagesse exercée*, op. cit. Krishnamurti, *Se libérer du connu*, Paris, Stock, 1969. Prakash S., *L'Expérience de l'unité. Dialogues avec Svâmi Prajnânpad*, op. cit.

3. Traverser les tempêtes

Se libérer de ses prisons mentales

- Sur la douleur : Les modifications observées chez les méditants zen expérimentés sont un accroissement de l'épaisseur du cortex, notamment dans les zones du cortex cingulaire antérieur et du cortex somatosensoriel, impliquées dans la perception de la douleur. Grant J.A. et coll., *« Cortical Thickness and Pain Sensitivity in Zen Meditators »*, *Emotion*, vol. 10, février 2010, p. 43-53. Speca M. et coll., *« A Randomized, Wait-List Controlled Trial: The Effect of Mindfulness Meditation-Based Stress Reduction Program on Mood and Symptoms of Stress in Cancer Outpatients »*, *Psychosomatic Medicine*, vol. 62, septembre-octobre 2000, p. 613-622. Morone N.E. et coll., *« Mindfulness Meditation for the Treatment of the Chronic Low Back Pain in Older Adults »*, *Pain*, vol. 134, n° 3, février 2008, p. 310–319.

- Sur les modifications cérébrales liées à la pratique de la pleine conscience : Luders E. et coll., *« The Underlying Anatomical Correlates of Long-Term Meditation: Larger Hippocampal and Frontal Volumes of Gray Matter »*, *NeuroImage*, vol. 45, avril 2009, p. 672-678. Lutz A. et coll., *« Long-Term Meditators Self-Induce High-Amplitude Gamma Synchrony During Mental Practice »*, *PNAS*, vol. 101, n° 46, novembre 2004, p. 16369-16373. Rubia K., *« The Neurobiology of Meditation and Its Clinical Effectiveness in Psychiatric Disorders »*, *Biological Psychology*, vol. 82, n° 1, septembre 2009, p. 1-11.

- La citation sur « prison et barreaux » est extraite du livre d'Alexandre Jollien *Le Philosophe nu*, Paris, Le Seuil, 2010.

- Sur les ruminations, pour les professionnels de santé : Papageorgiou C. et Wells A. (éds), *Depressive Rumination*, John Wiley, 2004. Davey G.C.L. et Wells A. (éds), *Worry and Its Psychological Disorders*, John Wiley, 2006.

Lâcher prise

- Lemoine S. (sous la direction de), *De Puvis de Chavannes à Matisse et Picasso. Vers l'art moderne*, Paris, Flammarion, 2002.

Rester présent au monde

- Marijnissen R.-H., *Bruegel. Tout l'œuvre peint et dessiné*, Paris, Éditons Charles Moreau, 2003.

Avancer, même blessé

- Pour les professionnels de santé, quelques références d'études classiques ou récentes sur l'usage de la pleine conscience dans les troubles anxieux ou dépressifs : Teasdale J.D. et coll., «*Prevention of Relapse/Recurrence in Major Depression by Mindfulness-Based Cognitive Therapy*», *Journal of Consulting and Clinical Psychology*, vol. 68, n° 4, août 2000, p. 615-623. Kuyken W. et coll., «*Mindfluness-Based Cognitive therapy to Prevent Relapse in Recurrent Depression*», *Journal of Consulting and Clinical Psychology*, vol. 76, n° 6, décembre 2008, p. 966-978. Segal Z. et coll., «*Antidepressant Monotherapy Versus Sequential Pharmacotherapy and Mindfulness-Based Cognitive Therapy, or Placebo, for Relapse Prophylaxis in Recurrent Depression*», *Archives of General Psychiatry*, 2010. Barnhofer T. et coll., «*Mindfulness-Based Cognitive Therapy as a Treatment for Chronic Depression: A Preliminary Study*», *Behaviour Research and Therapy*, vol. 47, n° 5, mai 2009, p. 366-373. Kenny M. et Williams J.M.G., «*Treatment-Resistant Depressed Patients Show a Good Response to Mindfulness-Based Cognitive Therapy*», *Behaviour Research and Therapy*, vol. 45, n° 3, mars 2007, p. 617-625.

- Et pour nos lecteurs non-professionnels de santé, cette recommandation : à ce jour, la méditation, quelle qu'en soit la forme, n'a pas fourni assez de preuves lui permettant d'être considérée comme un outil de traitement des maladies psychiques (ni des autres d'ailleurs). Elle a par contre démontré qu'elle est un bon outil de prévention des rechutes, c'est-à-dire de maintien en aussi bonne santé que possible, en tenant compte des fragilités et du passé de chacun. Si vous souffrez (ou l'un de vos proches) d'une maladie psychiatrique, la méditation pourra vous aider, mais non vous soigner.

- Berghmans C. et coll., «La méditation comme outil psychothérapique complémentaire : une revue de question», *Journal de thérapie comportementale et cognitive*, vol. 19, n° 4, décembre 2009, p. 120-135.

Consentir au mystère

- Hood W., *Fra Angelico at San Marco*, New Haven, Yale University Press, 1993.
- Spike J., *Fra Angelico*, Paris, Liana Levi, 2003.

- La citation de Viktor Frankl se trouve dans le bel ouvrage de Tzvetan Todorov, *Face à l'extrême*, Paris, Le Seuil, coll. «Points», 1994 (p. 99).
- Lire aussi, de Viktor Frankl, *Découvrir un sens à sa vie. Avec la logothérapie*, Montréal, Éditions de l'Homme, 2006.
- Phillips A., *Trois capacités négatives*, Paris, L'Olivier, 2009.
- La métaphore des étoiles cachées par le soleil est d'André Comte-Sponville, dans son ouvrage *L'Esprit de l'athéisme. Introduction à une spiritualité sans Dieu*, Paris, Albin Michel, 2006.

Voir émerger doucement le bonheur

- André C., *Les États d'âme. Un apprentissage de la sérénité*, Paris, Odile Jacob, 2009.
- Pour approfondir la vision chinoise du bonheur : Dan Y., *Le Bonheur selon Confucius. Petit manuel de sagesse universelle*, Paris, Belfond, 2009. Jullien F., *Nourrir sa vie à l'écart du bonheur*, Paris, Le Seuil, 2005.
- La citation de Camus sur bonheur et conscience est extraite de son ouvrage *L'Envers et l'endroit*, Paris, Gallimard, coll. «Folio essais», n° 41, p. 118.
- La citation d'Etty Hillesum est extraite de son ouvrage *Une vie bouleversée*, Paris, Le Seuil, coll. «Points», 1995.
- La citation d'Evguénia Guinzbourg est extraite de son ouvrage *Le Vertige*, tomes 1 et 2, Paris, Le Seuil, coll. «Points», 1997.
- Wood A.M. et Joseph S., «*The Absence of Positive Psychological (Eudemonic) Well-Being as a Risk Factor for Depression: A Ten Year Cohort Study*», *Journal of Affective Disorders*, vol. 122, n° 3, mai 2010, p. 213-217.
- Brown K.W. et Ryan R.M., «*The Benefits of Being Present: Mindfulness and Its Role in Psychological Well-Being*», *Journal of Personality and Social Psychology*, vol. 84, n° 4, avril 2003, p. 822-884.

4. Ouvertures et éveils

Travailler

- Perec G., *Espèces d'espaces*, Paris, Éditions Galilée, 1974.
- Barbera G., *Antonello de Messine*, Paris, Gallimard, 1999.
- Zundel M., *Vie, mort, résurrection*, Montréal, Éditions Anne Sigier, 2001.

- La «cloche de la pleine conscience» est une institution du célèbre Village des pruniers, fondé par Thich Nhat Hanh. Informations: http://villagedespruniers.net/

CONTEMPLER

- Hofmann W., *Caspar David Friedrich*, Paris, Hazan, 2005.
- La citation d'André Comte-Sponville est extraite de son *Dictionnaire philosophique*, Paris, Presses Universitaires de France, 2001.
- *Dictionnaire des mots de la foi chrétienne*, Paris, Les Éditions du Cerf, 1989.
- La citation de Christian Bobin est extraite d'une de ses chroniques pour *Le Monde des religions*: «Le prophète au souffle d'or», mai-juin 2010.
- Jossua J.-P., *Seul avec Dieu. L'aventure mystique*, Paris, Gallimard, coll. «Découvertes», 1996.
- Panikkar R., *Le Silence du Bouddha. Une introduction à l'athéisme religieux*, Arles, Actes Sud, 2006.
- Sur le lien à la nature et la biophilie: Éric Lambin, *Une écologie du bonheur*, Paris, Le Pommier, 2009.

AIMER

- La parole de Siméon à Marie se trouve dans Luc 2, 34-35.
- Roscam Abbing M., *Rembrandt*, Paris, Gründ, 2006.
- Les méditations sur l'amour altruiste sont notamment détaillées dans l'ouvrage de méditation de Ricard M., *L'Art de la méditation*, Paris, NiL, 2008.
- Sur l'utilisation de la compassion en psychothérapie, voir pour synthèse: Gilbert P., *Compassion Focused Therapy*, Routledge, 2010. Gilbert P. (éd), *Compassion. Conceptualisations, Research and Use in Psychotherapy*, Routledge, 2005.
Ainsi que cette recherche originale montrant que la méditation altruiste améliore le lien aux autres: Hutcherson C.A. et coll., «*Loving-Kindness Meditation Increases Social Connectedness*», *Emotion*, vol. 8, n° 5, octobre 2008, p. 720-724.

EXPÉRIMENTER L'EXTENSION ET LA DISSOLUTION DE SOI

- Paquet M., *Magritte, la pensée visible*, Cologne, Taschen, 2005.
- Gohr S., *Magritte. Tentation de l'impossible*, Anvers, Ludion, 2009.
- Sylvester D., *Magritte*, Arles, Acte Sud, 2009.
- Meuris J., *René Magritte*, Cologne, Taschen, 2007.
- Teilhard de Chardin P., *Le Phénomène humain*, Paris, Le Seuil, 1965.
- La citation « Abandonne tout, abandonne tout ce que tu connais… » est extraite de l'ouvrage de Tiziano Terzani, *Le Grand Voyage de la vie*, op. cit.
- Comte-Sponville A., *L'Esprit de l'athéisme. Introduction à une spiritualité sans Dieu*, op. cit.
- Lenoir F. et Tardan-Masquelier Y., *Le Livre des sagesses. L'aventure spirituelle de l'humanité*, Paris, Bayard, 2005.
- Une étude (parmi d'autres) montrant comment nombre de douleurs psychologiques sont liées à une focalisation excessive sur soi : Way B.M. et coll., « *Dispositional Mindfulness and Depressive Symptomatology: Correlations With Limbic and Self-Referential Neural Activity During Rest* », *Emotion*, vol. 10, n° 1, février 2010, p. 12-24.

CONSCIENCE UNIVERSELLE

- Büttner N., *L'Art des paysages*, Paris, Citadelles & Mazenod, 2007.

REMERCIEMENTS

Merci à Sophie de Sivry pour son soutien inconditionnel, son œil et sa sensibilité. Elle a fait la beauté de ces pages. Si ce livre, qui est une petite œuvre d'art, ravit vos yeux, c'est grâce à elle.

À Catherine Meyer pour sa disponibilité amicale, son intuition et ses conseils. Elle m'a poussé à l'écriture la plus précise et la plus évocatrice possible. Si ce livre vous parle et vous touche, c'est grâce à elle.

Et à toutes les deux, merci de m'avoir offert les moyens et le temps nécessaires à la conception puis à l'écriture de cet ouvrage.

Merci pour tout cela, et pour tout le reste.

CONCEPTION GRAPHIQUE
Quintin Leeds

MISE EN PAGES
Fanny Allemand

COORDINATION ÉDITORIALE
Catherine Meyer

SUIVI ÉDITORIAL
Élise Gruau

RÉVISION DES TEXTES
Mirabelle Carré

PHOTOGRAVURE
Les Artisans du Regard (Paris)

Achevé d'imprimer en France sur les presses
de Corlet Imprimeur, en août 2015

ISBN : 978-2-91336-637-4
N° d'impression : 174727
Dépôt légal : septembre 2011
Imprimé en France

CRÉDITS PHOTOGRAPHIQUES

© 2010 La Collection / Artothek : p. 10, p. 23, p. 41, p. 74, p. 87, p. 147, p. 193, p. 257 – © 2010 Museum of Fine Arts, Boston : p. 31, p. 33, p. 37, p. 39 – © The Bridgeman Art Library : p. 51, p. 99, p. 131, p. 169, p. 181, p. 245, p. 286 – © Courtesy the Artist and Victoria Miro Gallery, London, © Photographe Jochen Littkeman : p. 63, p. 64, p. 69 – © 2010 Digital Image, The Museum of Modern Art, New York / Scala, Florence, droits réservés : p. 113. – © 2010 Digital Image, The Museum of Modern Art, New York / Scala, Florence, « Christina's World », 1948, tempera © Andrew Wyeth : p. 213, p. 215, p. 220-221 – © Erich Lessing / Magnum : p. 123 – © Ann Roman / Heritage Images / Scala, Florence : p. 156 – © Collection du musée Van Buuren, Uccle (Bruxelles) : p. 203 – © 2010 La Collection / Domingie-Rabatti : p. 223 – © Courtesy National Gallery of Art, Washington : p. 233, p. 234, p. 239 – © Nationalmuseum, Stockholm, Sweden / The Bridgeman Art Library : p. 269 – © The Bridgeman Art Library, © Adagp, Paris 2011 : p. 279 – Couverture : © La Collection / Jean-Louis Nou – Bandeau : © Hannah Assouline / Opale.

10 CONSEILS POUR MÉDITER AVEC CE CD

❶ La pleine conscience est une méthode de méditation simple et accessible à tous. Seule sa pratique régulière demande des efforts !

❷ Un point de départ : s'arrêter, s'asseoir et fermer les yeux (ou les garder mi-clos, sans rien regarder de précis). Puis observer et accueillir ce qui arrive dans notre corps et notre esprit.

❸ Pas besoin de matériel particulier pour démarrer : des vêtements confortables et une chaise suffisent.

❹ Au début, mieux vaut s'entraîner dans un endroit calme et en retrait. Puis il est possible de méditer à peu près partout.

❺ Les méditations guidées du CD proposent des exercices, brefs ou longs, adaptés à tous les niveaux.

❻ Une petite introduction vous explique chaque méditation, puis il suffit d'écouter l'exercice.

❼ Vous serez guidé durant les méditations. Essayez de ressentir plutôt que de réfléchir, d'*être* plutôt que de *faire*. Les moments de silence vous permettent d'être en contact avec votre propre expérience.

❽ La méditation peut parfois nous apaiser. Mais, d'autres fois, elle sera inconfortable et nous apprendra un rapport différent à ce qui nous fait souffrir. C'est pourquoi mieux vaut ne rien en attendre de particulier : parfois ce sera agréable, parfois moins. Mais si nous restons attentif à notre expérience, ce sera toujours utile.

❾ Tous les moments sont bons pour méditer, mais commencer la journée par quelques minutes de pratique nous permet d'éveiller et de cultiver nos capacités de concentration et de stabilité émotionnelle.

❿ Comme pour tous les apprentissages, plus on pratique, plus on progresse. Mais il est normal que, certains jours, on ait du mal à faire les exercices, qu'on ait parfois l'impression de ne pas avancer. Et il est normal qu'à certains moments de notre vie, on laisse tomber la pratique, avant d'y revenir. Nous sommes tous passés par là.